A.H.M. Scholtz

Langsaan die vuur

Vyf lewensverhale

KWELA BOEKE

Ek sê dankie vir my dogter Elizabeth Mary, genoem Lilly,
vir haar eengesind saamwerking

Omslagontwerp en tipografie deur Abdul Amien.
Geset in 10/12 pt Plantin.
Gedruk en gebind deur Nasionale Boekdrukkery, Drukkerystraat, Goodwood, Wes-Kaap.

Eerste uitgawe, eerste druk 1996.

ISBN 0-7957-0038-5

Inhoud

Eerbiedige vriend

Eerbiedige vriend

Lees met gevoelens en vergeefnis en geniet die agteruit dae van gister met sy mense. Wat gebeur het, kan nie verander word nie; net tyd kan dit uitwas.

Die son skyn op die bitter en die soet, dan weer op die soet en die bitter. Die wêreld draai, en ons met die wêreld.

Wees met hulle, ons landsmense:
Kasper Crudop
Ethel Boonzaaier
Seele Moagi
Muriel Growé
Kwela Modise

Hulle sit langsaan die vuur:
elkeen op sy plek
elkeen in sy tyd
elkeen kry sy deel
elkeen hoor wat gesê is
elkeen sê dit is so
hulle praat nie saam nie.

A.H.M. Scholtz, Mafikeng

KASPER CRUDOP
11/5/1695 – 8/7/1729

Ek, Kasper Crudop, is gewoond aan alles wat soet, suur, bitter of lekker sy deel bewys: die blydskap van die geestelike liggaam, dan weer die seerkry, die vermurwing van die mens-dierliggaam. Ek is gewoond aan dié wat met voete loop, genoem die Lewe.

Geteken: K. Crudop van die plaas Pasquael, Kaap de Goede Hoop. Burger van Tigerberg, op 4de Maart 1725

Hy staan daar, met sy stertriempie en pikswart fyn hare wat op sy skouers hang, waar geen kam of borsel deurgeloop het nie. Soos 'n wene wilger hang hulle van natuur, hulle groei nie wild nie. Hy staan met 'n rou aartappel in sy hand. Hy eet die aartappel, soos alles wat in sy hand gesit word, met die lus van 'n gesonde kind.

Vir hom was daar nog nooit kos op 'n bord gegee nie. Dit wat afval, wat nog geëet kan word, kry hy met 'n dê-vat. Oorskietkoffie het hy ook gekry by Motta Mieta, sy slawe-hansmoeder.

Sy het hom skoon gehou, met wasgoedwater of water uit 'n kalbas. En die winter- of somerwind moes hom droog waai. Soos 'n dier moes hy dit aanvaar in sy kindmensgedagte. Sy huiltrane se merke is nie afgevee nie, dis afgewas met vuil water of water uit 'n kalbas, met die woorde: Maak toe jou oë.

Vir 'n slawekind is al wat lekker is, 'n vol maag. Al was die kos hoe smaakloos, vir hom is kos alles.

Die kind kon glimlag – tog iets wat 'n dier nie kon doen nie. En daai glimlag het sy hansmoeder se diergevoelens geraak.

Die Ounooi, dis nou die Baas se vrou, van haar het die kind al gehoor. En nou, vandag, staan en kyk sy vir hom met 'n aandag, soos hy daar staan met sy aartappel.

Hy kyk nie op nie maar hy kan die swart van die kyk voel wat sy teen hom aanblaas. En met dié wys sy met haar vinger na hom. Sy kom nader, hy voel haar soos die nag wanneer hy alleen lê. Hy mag nie padgee nie, hy moet staan. Sy kindgedagte sê wat hy altyd hoor: Jy is 'n slaaf.

Sy staan voor hom, dié stukkie mens. Sy tel haar hand op om hom te klap. Dan trek sy haar hand terug en sê: Amper het ek my hand vuil gemaak.

Hy bly staan soos 'n mak gemaakte dier.

Die Ounooi skreeu na 'n slaaf: Jy, Jannewarie, bring daai stok! En sy wys na 'n stok wat daar lê. Neem dit en slaan hom, sê sy.

Die Ounooi staan en kyk. Die slaaf Jannewarie kyk die Ounooi, want hy moet slaan totdat sy tevrede is.

Sy praat nie, sy loop net weg toe dit genoeg is.

Die slaaf Jannewarie, hy vir wie die kind Ta Jannewarie sê, hou op slaan.

Die kind is bang vir Ta Jannewarie, hy bewe wanneer hy aan hom dink. Die kind weet nog nie wat haat is nie – haat laat jou mos nie bewe nie. Nee, 'n slaaf haat mos nie, hy voel net jammer vir homself.

Ta Jannewarie se ore is afgesny – die merk van 'n wegloopslaaf. Ta Jannewarie kan nie lag nie en as die kind hom sien, steek hy altyd sy stukkie kos weg agter sy rug, anders neem Jannewarie dit ook af.

Nou huil die seunkind, hy huil, hy huil. Hy het baie seer gekry.

Oplaas hou hy op huil. Hy kan nie meer huil nie, die huil het uit sy maag gespring.

Ta Jannewarie, sy slaweboet, staan en kyk asof dit die bloedjie se loon is. Hy staan en kyk sonder 'n gevoelente op sy gesig, want hy het nie seer gekry nie.

Die kind se Motta het die hele ding hulpeloos aangekyk. Die Ounooi is nie meer te sien nie. Toe kom vat Motta sy kinderhand en trek hom nader om sy bene te laat beweeg. Om die hoek van die kamermuur druk sy hom vas teen haar. Sonder woorde, sonder alles, druk sy hom vas teen haar. Daar is 'n warmte wat hy kry, en hy voel haar hart klop deur die tet.

Hy en Motta sit op die rietstoel. Hy raak aan die slaap, 'n kind se engelslaap.

Skielik word hy met 'n skrik wakker toe hy afgestoot word van sy Motta se skoot.

Hy hoor: Staan! Staan! En kry 'n kalbas koue water oor hom. Gaan staan in die wind dat jy kan droog word!

Half deur die slaap gaan staan hy daar waar niks die wind keer nie. Hy skud hom soos 'n klein dier.

Gelukkig is die son warm.

DIE OUNOOI

Hy het nog nie van die Here gehoor nie. Maar die duiwel het hy al leer ken. Dit wat seer maak – in die vorm van die Ounooi, die Baasvrou, Susanna Meerland. Haar rok is nie elke dag dieselfde nie, sê die slawe. Sy het 'n kas waarin haar baie rokke hang. Haar kappie se fatsoen is ook opletbaar bedags. Sonder haar kappie is haar bruin hare opgerol en agter haar kop vasgesteek met 'n silwer tweetand-haarnaald.

Haar gesig is rooi soos houtkole wat gestook is, en as sy in die son staan, skyn haar vel asof al haar bloed daar bymekaar kom. En sy het oë wat blink in die helder kleur van die hemel. Maar haar kyk is swart.

Die slawe sê die Ounooi het nie gevoelentheid in haar hart nie, hulle wonder of haar hart klop, en hoe. 'n Slaaf in haar oë is net 'n slaaf en niks meer nie. Orals waar sy is, is die slawe se vrees om haar.

Die kind staan in die wind en son en kyk hoe maklik vlieg die voëls weg as 'n mens naby kom. In sy drome droom hy hoe lekker vlieg hy weg as die Ounooi naby kom. Hy lê wakker in die nag en sy kindergedagte sê vir hom hy kan nie vlieg nie, nog minder mag hy weghardloop as die Ounooi kom. Hy sê vir homself: Ek sal soos die rotte wees, hulle steek weg as die mens naby kom. Ek sal wegsteek vir die duiwel.

Dit was einste die speletjie van wegsteek vir die duiwel wat hom gered het. Daar was tye – onverwags – wat hy hom kry staan voor die Ounooi, of sy staan voor hom. Toe het hy geleer om rond te kyk en betyds weg te steek. Ta Jannewarie – die kind vrees hom ook, maar die vrees vir die Ounooi laat die kind verskriklik bewe soos 'n muis net voor 'n slang hom insluk.

Maar die kind kan nie altyd wegsteek nie. Vuurmaakstokke lê orals rond, enige een is goed genoeg vir sy liggaam. Die eerste in die hand van Ta Jannewarie is die beste, en hy is altyd naby. Die Ounooi sê nie meer vir Ta Jannewarie wat om te doen nie, sy wys net met haar vinger.

Ta Jannewarie slaan altyd net op een plek – die kind se agterent is al rou geslaan. Die vorige rowe van sy sere word ook weer afgeslaan. Hy sal weer vir dae aaneen op sy maag moet slaap.

Om iets verkeerd te doen, en dan jou slae te kry – so begin sy kindgedagte redeneer – dit kan hy verstaan. Maar oor ek net daar staan, wat is verkeerd met dit? wil hy by homself weet. So huil hy hom aan die slaap.

Sy Motta kom en vryf die kopiefablare se binneste op sy stêre.

HY SIEN DIE BOBAAS

Op 'n dag sien hy die Bobaas vir die eerste keer. Die slawe noem hom: Bobaas – min slawe onthou dat sy naam Jan Meerland is: 'n Vryburger van die plaas Hoop op Leef.

Hy sit op 'n perd, met 'n groot hoed op sy kop.

Die seun kyk af op sy tone. Hy voel nie die swart kyk van die Ounooi nie. Hy voel ook nie bang nie. Maar daar is iets anders wat hy voel – hy weet nie wat nie.

Die seun loer die Bobaas – 'n nuwe gewoonte van hom deesdae. Hy sien die rooi hare wat sy nek toemaak, en voor hang ook growwe rooi hare. Sy neus, sy mond, sy oë sien die seun nie. Die hoed maak dit donker.

Motta Mieta kom aangeloop.

Die Bobaas groet. Sy wil afsak.

Staan, Mieta, sê hy met 'n stem wat so grof is soos sy baard.

Die perdeman kyk die seun op en af. En dié? vra hy en wys met sy vinger.

Dit is Eva se kind, my Kroon, antwoord Motta Mieta.

Dis die eerste woord van sy ma se naam wat hy hoor, en hy het dit nooit vergeet nie.

Die perdeman wil afklim, en hy wil-wil ook nie.

Hy laat die perd nader loop.

Motta Mieta is nie bang nie, sy hou sy hand vas.

Die perdeman tel sy groot hoed voor op om beter te sien. Hy sê vir Motta: Mieta, hou hom weg van die huis.

Hy skud sy kop, draai die perd en ry weg.

Motta Mieta is 'n vrygemaakte slaaf. Sy het nêrens om te gaan bly nie. Sy was die Bobaas se slaaf, het sy geboorte bygewoon en gesorg dat hy 'n man word, het sy die kind vertel. Maar na sy troue skop sy vrou, Susanna, vir ou Mieta uit. Soos sy gesê het: uit haar lewe.

Die kind weet nog nie van jare nie, maar hy weet Motta Mieta is baie oud.

Partymaal sê sy: Snaaks dat daar ook slawe is wat baie oud word. En sy skud haar kop.

As Baas Jan siek was, so vertel Motta vir die seun, was dit altyd ou Mieta se skuld. So dra ek hom siekte saam met hom, sê sy. Motta sê sy verstaan dit nie, hy is mens en haar liefde vir hom is menslik. Maar, sê sy, vir hom is ek net hom dier, net soos Jagter, sy hond.

Motta sê vir die kind: Baas Jan het jou gekyk, maar dit was nie 'n seer kyk nie. Ek sê vir jou, jy is meer van die pa as die pa se kind by die groothuis. Julle moesies sit op dieselfde plek aan die linkerkant van die neus. Jy het Eva se hare jou deel gemaak en dit is al. Verder, alles van jou pa is dieselfde – tot julle loop is van mekaar.

Ek het gesien hoe kyk die Ounooi jou, sê Mieta. Ek kon sien die

Ounooi weet wie jou pa is. Jy is meer pa se kind as die ander seunkind. Christiaan is die Ounooi se man se kind en jy jou pa se kind.

Die kind luister maar verstaan nie wat sy Motta hom vertel nie.

KASPER VERTEL SELF

Op 'n dag kom daar weer 'n perd aan, ek hoor hom. Ek gaan steek weg.

Ek hoor: Mieta, vat al jou goed en trek na die ander kant van die dam.

Ek sal doen wat my Kroon sê, sê my Motta.

En die Bobaas gee vir my en my Motta iets om van te lewe.

Die dam is nie naby die huis nie, en anderkant die dam is eers ver. Maar ons maak soos die Bobaas gesê het. Die oumaslaaf en die slawekind dra dié wat die Bobaas gesê het dit behoort aan hulle, vir twee dae aaneen heen en weer.

Motta sê: Die Bobaas dink dié wat so swaar in sy vrou se gedagte is, is nou uitgevee. Maar sy vrou, Susanna Meerland, dink anders – 'n vrou wat verneuk is en haar man nog liefhet. Die jammerte, die teleurstelling van haar enigste kind, Christiaan wat swak in die kop is, stoot haar aan om die onskuldige slawekind uit haar lewe te woes. Sy gaan nog nie tevrede wees nie, sê Motta. Arme vrou, min weet sy die Here waak ook oor sy slawe.

Die tyd gaan verby, gaan verby.

Nou en dan kom die perdeman. Hy klim nie van sy perd af nie. Met sy growwe stem skreeu hy: Ou Mieta, ek bring jou iets om jou aan die lewe te hou!

Dan moet ek staan, hy wil vir my kyk. En sy kyk maak nie seer nie. Hy wil-wil aan my vat. Ek voel dit, maar hy vat nie aan my nie.

My Motta hou my hand vas, haar hand word warm. Daar is iets wat ek nie verstaan nie.

Die Bobaas draai sy kop na Motta en vra: Wat is hy?

Motta antwoord: Hy is Kasper, my Kroon.

Hy lag en sê: Wat! Kasper!

Soos iemand wie se gevoelente verander het. Hy draai sy perd. Sonder om te groet, ry hy weg.

En dis hier, anderkant die dam, na 'n paar winters – 'n slaaf onthou net die winter, somer is nie so sleg nie – waar Motta my gesê het van my afkoms.

Nou is ek nie meer jy-dê-vat-kom nie. Motta roep my: Kind! En dan hoor ek wat ek is: Kasper. Partymaal Kaspertjie. En ek voel dit.

Ons word vriende met die veldmense wat agter die dam bly. Motta sê hulle is los, nie slawe nie. My los veldmaat leer my vis vang. Met 'n rietstok en perdesterthaar en 'n voël se borsbeen. My tong kan nie die woorde van my maat se taal mooi draai nie. Maar ons lag lekker saam.

Die veldmense, ek kan hulle nie verstaan nie. As hulle wil, eet hulle vis net so uit die water uit, sonder dat hulle gewerk het. Die mense van die veld weet nie wat werk is nie. Die slawe sê hulle wil nie werk nie. Maar ek sien hulle werk net anders. Hulle werk, maar net om te lewe.

Hulle maak nie mekaar seer nie, hulle doen net wat gedoen moet word. Hulle is ook nooit bang nie. Maar in 'n slaafmens is daar altyd 'n vrees.

Die veldmense sê ook nie dit is te warm, dan weer te koud nie. Hulle bly altyd dieselfde. Hulle almal klap hande – oud, klein, almal. En hulle sing saam. Almal kry lekker om die vuur.

Motta en ek gaan kuier vir hulle.

Hulle is baie bly as Motta vir hulle vuur uit die tondeldosie gee. Dan – met hulle blydskap – bring hulle iets vir ons om van te lewe. En as hulle my nou roep, dan weet ek hulle sê: Kasper!

Partymaal gaan haal ek hout en maak vuur vir Motta. Dan kom hulle ook om die vuur sit.

Ek doen alles wat Motta sê ek moet doen.

Ons is. Die woord "gelukkig" ken ek nog nie.

Ons kyk nie meer wanneer sal die perdeman aangery kom nie, ons hoor hom van ver.

MOTTA PRAAT

As daar vreugde is, praat mense met hul gedagtes. Hulle gesels as hulle nie kwaad is vir mekaar nie.

Motta vertel. Ek hoor haar praat en ek sien prentjies, meeste van jammerte, want ek weet nog nie wat "hoop" beteken nie.

Motta sê: Sy was 'n slavin. Een van my soort wat nog nie 'n man gehad het nie.

Wie, Motta?

Jou ma, Kaspertjie.

Motta praat, praat, sy kyk my om seker te maak my ore is oop.

Motta sê: Jou ma het in die Bobaas se kombuis gewerk. Sy, jou ma, het kos gemaak wat hulle nie geken het nie. Sy was 'n mooi vrou – ja, baie mooi was sy. Van die Oos oorsee het sy gekom. Wat hulle sê: Batavia.

Die Bobaas sê hy was dronk gewees toe hy jou ma vir tagtig riksdalers gekoop het. Daardie dag se dinge maak vandag nog seer. Die lewe is swaar, Kaspertjie. Dis soos 'n hol boomstomp wat jy moet dra en die baasmense stop hom vol met alles wat nie lekker is nie.

Ek verstaan nie. Ek voel oor die ou seerplekke op my boude.

Motta vertel, sy vertel: Die tyding het gekom dat daar 'n skip op wal is – die nuus het hier met 'n Kompaniesoldaat gekom vir onse besitter, die Bobaas Jan Meerland, vryburger van die plaas Hoop op Leef.

Klein vannag vertrek ons toe met dié wat verkoop word. My kind, my slawekind Isaak, en ek moet saamgaan.

Ek maak koffie en roosterkoek en braai die Bobaas se vleis. Isaak haal die klippe voor die wa se wiele uit die water, soos ons oor die Liesbeek se water trek. Isaak is jonk-sterk, gehoorsaam en hy lag lekker. Hy is my Isaak.

Ons trek sonder om stil te staan of om te slaap. Sonop sien ons die skip. Ons hoor dit is die Brandenburg. Ons gaan nader en hoor dit is te laat. Die Brandenburg het goed gekoop en klaar gekoop.

Die Bobaas word kwaad, baie kwaad, asof hy seer gekry het. En soos altyd is dit net die slawe se skuld. Hy verkoop toe sy goed net vir wat mense wil gee. Hy skreeu op ons en sê ons is nie mens nie. Alles wat sleg is, het die Here in die slaaf geplant, sê hy. Ek kyk hom, Kaspertjie, en sê: Dit is, my Kroon. Want hy is van die soort wat jou met sy bek slaan en dit maak seer.

Hy gaan word toe dronk van teleurstelling, asof sy verlies te groot is om nugter te dra. Isaak moet saamgaan om agter die Bobaas te loop.

Mense wat hom groet, sê vir hom: Jan, jy het 'n mooi slaaf, wil jy hom nie verkoop nie? Nee, is sy antwoord. Sy ma het hom vir my geteel.

Hy mag nie sonder sy slaaf loop nie, nee. Dis mos nou 'n gewoonte van die burgers. 'n Man van eiendom – so noem hulle hom as hy met sy slaaf aan sy sy loop.

Mettertyd kry die Bobaas homselwers in sy dronkenskap staan by die slawemark.

MOTTA MIETA SE ISAAK WORD VERKOOP

Ag! sê die Bobaas, laat ek maar loop. Ek het niks hier verloor nie.

Maar daar kom toe 'n jong vroumens op veiling. Die Bobaas se aanbod is die hoogste – tagtig riksdalers. Hy skud sy sakke uit, maar alles wat hy het, maak nog 'n vyf riksdalers kort.

Die mense kyk hom, die afslaer kyk hom. Hy staan en dink hoe kan hy hom bevry van skande. Hy teken die eienskappapier en sit vir my Isaak op die platform.

Isaak word verkoop – nie soos 'n siel nie, maar soos 'n iets. Vyf en twintig riksdalers in die Bobaas se sak. En hy gee nie eers vir Isaak 'n skuins kyk nie.

Ek kyk my Isaak agterna. Ek kan hom nie roep nie.

Ek hoor die jong vroumens, Eva, praat onse taal, maar 'n bietjie anders. Die nag terug na Hoop op Leef huil ek en sy die nag deur.

Motta praat nie, Motta praat nie, dan kom dit uit haar mond: Kind Kaspertjie, ek huil uit my hart, ek voel hoe huil my hart. Van daai dag af is ek nie vol Mieta nie, daar is iets verloor of afgebreek van my. Dit was my laaste huil. Ek huil nie meer nie.

Die lewe se smaak is verby, maar die hart klop aan.

'n Vry vrou sê vir my ek moet die Here vra. Sy sê dit is so maklik.

Ek sê vir haar: Hoe moet ek vra? Ek weet nie waar om te kyk as ek vra nie.

Sy sê: Vra net, ou Mieta.

Ek vra, vra en vra.

Nou vra ek nie meer nie. Waarom word 'n slaaf se woord nie gehoor nie? Ek weet nie.

Toe sê Motta: Ek moet jou laat doop, Kaspertjie. Maar hoe, waar, ek weet nie. Miskien sal dit die haat van die Ounooi afvee. Dan kan jy ook bid en vra – soos die Seermakers.

Motta vertel, sy vertel.

Ek kry my weer eendag voor die blou waters, sê sy, 'n skip is weer op wal. Die Bobaas het goed verkoop, hy is gelukkig en vol pret. Hy het vir ons 'n bottel wyn gegee. Jannewarie loop nou agter die Bobaas, met 'n kappie wat sy ore toemaak. Nou en dan word hy gesê: Sorg dat jou ore toe is. 'n Slaaf wie se ore afgesny is, is 'n vernedering vir sy eienaar, 'n bewys dat hy al weggeloop het.

Ja, en ek staan toe alleen, vertel Motta, 'n oumens se loon, die eensaamheid. Toe loop Isaak verby, die loop van 'n man wat moeg is vir die wêreld en van die binneste rou seer wat hy moet dra.

Ek glo nie my oë nie en kyk weer met my kop. My kop sê: Isaak, Isaak, is dit jy, Isaak?

My hart klop en ek hoor dit klop, ek wil vir Isaak omhels – ek mag nie. Ek dink dit sal te treurig wees. Isaak is saam met sy eienaar, een wat spoggerig uitgevat is. My Isaak is 'n slaaf en behoort nie aan sy ma nie. 'n Hond ken haar kind deur haar neus. 'n Ma ken haar kind deur haar hart.

Kaspertjie, sê Motta, ek kyk toe weer vir Isaak en sien die ander kant van sy gesig. Sy oor is lelik afgesny en op sy wang is daar 'n brandseer. My kind, my Isaak, is gemerk, hy is 'n wegloopslaaf.

Motta praat nie meer nie, die binneste seer maak haar aan die slaap. Ek sit langsaan my Motta, my hande op haar knieë, en so raak ek ook aan die slaap.

EK HOOR WAT EK MOET HOOR

Dit is 'n mooi dag. Die los veldmense het vir ons 'n haas gebring en ons moet hom regkry vir die maag. Hulle bring baiemaal vir ons eetgoed.

Motta is lus vir praat, ek kan sien.

Ek dink: Ek moet haar vra van die hoop kalkklippe, wat diep in die geel sand ingedruk lê. As ek daar verbyloop, staan ek en kyk na die kalkklippe. Daar is iets wat my altyd daar hou. Dan kry ek 'n snaakse gevoelente.

Ek sê vir Motta daarvan.

Kind, sê Motta, dit is jou ma se graf – laat ek jou vertel.

Kaspertjie, jou ma kon warm lag en praat. Iets wat Hoop op Leef nie geken het nie. Kyk, 'n slaaf neem weinig sy eie lewe al is die lyding hoe swaar. Die hond waai mos ook sy stert as sy baas hom klaar geslaan het. Nou, jou ma se lag en praat het deur die Ounooi soos 'n mes gesny.

Kind, sê Motta na 'n lang stilte, die mense is nie almal dieselfde nie, elkeen is ook sy eie mens, en elkeen staan alleen. Die los veldmense het kruie wat gesond maak, dan het hulle ook wat seer maak. Hulle noem dit "toor" en ek ken en verstaan dit, sê Motta. Maar die vry vrou het ek gehoor amen sê sonder om te kyk of te sien met wie sy praat – nou dit verstaan ek weer nie.

Jou ma het van haar Allah gepraat met sagte woorde wat binne klop, en van Ratiep, 'n ander soort gees. Dit verstaan ek ook nie.

Jou ma was in die kombuis, en 'n kombuisslaaf se werk is ander slawe se begeerte. Net die bestes werk daar. Jou ma, sy was van die Oos, soos dit gesê was. Meer vroulik, fyn en sag as die Baas se vrou wat so skel.

Sy, die Baasvrou, het die fyn, sagte kombuisslaaf gekyk en toe sê sy: Ek wil haar nie hier hê nie.

Die Bobaas sê: Ek het baie betaal vir haar, en sy behoort aan ons.

Sy kyk hom maar sê niks nie.

Hy sê: As jy haar nie wil hê nie, teken ek haar vry en jy hou 'n vry vrou in jou besit. Ek gee haar vir jou, vir jou verjaarsdagpresent. Sy is jou slaaf – of sy is 'n vry bediende. Dié is jou kombuis en jou huis, my vrou.

Toe sê die Ounooi: Ek sal haar moet inbreek, gelukkig verstaan sy wat ek sê.

Slegte gedagtes en slegte gevoelens het die Ounooi se jaloesie geanker. Kaspertjie, 'n mooi slavin ken nie sonop of sonsak nie. Nie as haar baas 'n vrou het nie. En haar eienaar kan haar breek, soos 'n perd ingebreek word. 'n Gehoorsame slaaf kry nie eintlik seer nie – hy voel dit wel, maar wys dit nie. Eva se dae was getel, getel, getel, sê Motta asof sy weer leef in die dae wat verby is.

EK LUISTER WEER

Motta en ek sit weer saam. Daar is niks vir my om te sê nie. Motta begin te vertel.

Liefde soos dié wat die vry mense ken, het toe die Bobaas gebyt. Sy kwaaiheid verander in sagtheid, en in sy sagtheid word sy vrou meer duiwelagtig.

Hulle seun Christiaan bly dom en lag vir alles. Die slawe is bly daaroor, maar mag dit nie wys nie. Sy ma en pa gee hom jammerte en sy begeertes maar dit help nie. Hulle is skaam vir hom. Susanna en Jan Meerland blameer God vir dit. Saam vra hulle waarom, waarom, waarom? sê Motta, en rus eers totdat sy haar mond weer oopmaak.

Die tyd gaan verby, verby. Eva begin pens kry. Ons sien dit almal.

Toe is daar weer 'n skip op die seewal. Hoop op Leef se mense was daar en het goed verkoop en goeie pryse gekry. En soos gewoonlik gaan die burgers ook na die slawemark. Jannewarie, wat nou altyd saam met die Bobaas loop, vertel ons saans om die vuur wat hy gesien het.

Hy sê alles is oor, daar staan toe nog die ou Makassar-slaaf van die skip Hasselt. Hy sê sy naam is Titus. Hy hoes, hy bewe, sy oë traan. Hy kan nie kos inhou nie. Sy siekte dra hom sonder gedagte.

Die Bobaas het vir Oupa Titus amper verniet gekoop, sê Jannewarie.

Terug by Hoop op Leef sê die Bobaas vir sy vrou: Susanna, die Bybel laat ons nie toe om een man met twee vroumense onder dieselfde dak te slaap nie.

Hy roep vir Eva en sê: Hier is jou man.

Ou Titus verstaan nie hierdie taal van ons nie. Die Ounooi stoot vir Eva na ou Titus. Vat hom, sê sy, nou slaap jy nie meer in die kombuis nie. Vat hom na die perdestal en maak met hom soos die perd en merrie maak.

Ou Titus staan, want hy verstaan nie.

Bobaas Jan slaan hom dat sy lip bloei. En skop hom tussen die bene.

Eva neem Oupa Titus se hand en trek hom na die perdestal. Buite, in die balie waar die diere se water gegooi word, maak Eva haar rok se punt nat en vee arme Titus se bloed van sy gesig. Papa, Papa, Papa, sê sy. Sy neem haar kombuisvel saam, en laat die ouman op die perdevloer lê. Sy gooi haar slaapvel oor hom.

Susanna, sê die Bobaas, ek sal daardie heiden doodmaak.

Nee, Jan! sê sy vrou. Goddelike mense soos ons dood nie hul slawe nie. Ons werk hulle dood, so werk ons met ons geld.

Donker stap die Bobaas na die perdestal. Hy sien ou Titus het Eva se slaapvel oor hom. Die slaapvel waarop hy, die Bobaas, haar verbruik het. Die Bobaas se oë is oop maar hy sien net swart van woede. Hy soek na iets om die arme ou man te slaan – hy kry niks nie. Hy trek die liggaam aan sy voete uit die stal. Hy skop hom dood en laat hom lê. Jy, vrou, sê hy vir Eva, neem jou vel terug na die kombuis en gaan slaap.

In die hele tyd het Eva glad nie gehuil nie. 'n Gebore slaaf was sy in die wêreld wat sy gewoond is. In haar jong lewe is sy vertel dat die eienaar van die slaaf nooit verkeerd is nie.

In haar gedagte is sy net hoër as die perde, slaggoed, honde en hoenders. En 'n goeie slaaf ken sy plek.

Voordat hy die oggend uit die huis gaan, laat roep die Bobaas vir Jannewarie en sê vir hom: As ek uit die huis kom, moet daai dooie ding weggesleep wees.

Jannewarie neem 'n riem en maak dit vas aan die dooie voet, klim op 'n perd en trek die lyk agterna tot diep in die veld. Sonder om af te klim of die riem los te maak, gooi hy die ander punt van die riem langsaan die liggaam, en sê: Vreet, julle aasvoëls, vreet, vreet.

MOTTA SÊ TOE KOM EK

Nie lank daarna nie, in die perdestal, sê Motta, kom jy in die wêreld, Kaspertjie. Al die sterre, groot en klein, sit daar bo, skoon en wakker. Die maan is vol en rol op om te groet – jou tyd het gekom, my kind.

Dit was toe die laaste dae van die somer. Die Ounooi het gaan kuier by haar broer – die Crudops. Die Bobaas sê vir my: Mieta, die kind gaan nie in die kombuis slaap nie. Die kerk en die Ounooi laat dit nie toe nie. Hy staan stil, en praat weer: 'n Slawekind nie onder my dak nie.

Mieta dink asof sy die prentjie wil verduidelik en sê: Jy het gekom in die bloed wat loop, en niks kon dit laat ophou nie. En so het Eva, jou ma, saam met die bloed gegaan. Toe ek die Bobaas gaan sê wat gebeur het, sê hy: Begrawe haar soos 'n goeie slaaf. Die kind is in jou hande, ou Mieta.

My slawedogter, Petronella, het kortelings haar kind verloor en sy het toe volop melk. Jou geluk, jou geluk, sê Mieta.

Toe het Motta klaar gepraat.

Daar het 'n verandering gekom in my en Motta se lewe. Die perdeman het 'n broek, baaitjie en hemp kom afgooi. Met sy growwe stem sê hy: Christiaan het dit nie meer nodig nie.

En ek moet staan soos 'n dier wat bekyk word. Motta was toe meer bly as ek, en met haar hande gevou sê sy: Dankie, my Kroon.

Die perdeman ry weg.

My Motta sê: Kaspertjie, gaan spring in die dam, dan kom jy as jy droog gewaai is.

Nou dra ek nie meer wat my veldmaat om sy liggaam sit nie. Boonop het die koue dae weer begin kom.

Ek sit saam met die los veldmense en hande klap om die vuur, toegekleed teen die koue. Hulle begeer nie my kleding nie, hulle is tevrede met wat hulle het.

Ek moes toe maar wat die liggaam toemaak, ook gewoond word.

Motta het gesê: Kaspertjie, jy is mens, maak jou toe, jy is nie los veldman nie.

Ek hoor maar ek verstaan nie, verstaan nie. Vir die veldmense is winter winter en somer somer – alles 'n deel van die lewe. O! dit is lekker om so hande te klap saam met hulle om die vuur en die woorde saam met die hart se asem uit te skreeu.

Motta sê: Kaspertjie, ek is bly om te sien daar is plesier in jou lag.

Die veldmense leer ons biltong maak. Ek kap my Motta se biltong fyn met 'n klip. Ek gee my hand as my Motta wil opstaan, dan trek ek haar op. Ek gee die loopstok sodat daar iets is wat my Motta kan op druk.

Ek vra vir Motta waarom is daar mense wat die lewe geniet en ander wat swaar kry. Ek vra maar vir Motta, want die veldmense weet nie wat seer kry is nie. Hulle word nie geslaan nie. En die mense van Hoop op Leef, hulle ken weer nie wat lekker is nie. Miskien kry hulle in die kos se smaak wat lekker is.

Motta antwoord: Elkeen kry sy beurt, het sy tyd, kry sy loon – dié wat lekker het en dié wat swaar het. Die Wind word ingetrek by geboorte, die Wind word uitgeblaas op die laaste. Dieselfde Wind is in ons almal. Dieselfde Siel – of ons swaar het of lekker. Die liggaam gaan, maar die Wind is altyd die Wind. Waarvandaan, waarheen – net die Wind weet. Ons *is* die Wind, my kind.

Ek verstaan nie altyd wat my Motta sê nie, maar ek luister.

Motta sê my somers is nou altwee my hande en die twee duime met die twee klein vingers bygesit. Tyd om te gaan werk, maar wat gaan ek doen sonder jou? sê my Motta.

Ons hoor 'n perdekar aankom. Iets wat nog nooit daar anderkant die dam angekom het nie.

Die los veldmense staan in klompies en kyk wat daar aankom. 'n Gewoonte van hulle, so op 'n bondel verdruk hulle enige vrees makliker.

Ek trek my Motta op en gee haar loopstok aan. Haar bene dra haar nie meer so goed nie. Ek kyk deur die stof wat die perde opskop, en ek sien die duiwel van die groothuis en nog 'n jong ounooi.

Sy trek die twee perde stil, die stof waai weg.

Daar word geskree: Jy, Mieta!

Motta antwoord: Ek het gehoor, my Kroon se vrou.

Hy! sê die duiwel en wys 'n vinger na my. Hy behoort aan my, ek vat hom.

Ek bewe, ek hoor my hart klop, ek het my natgemaak. Ek sien niks nie, ek sien net daai dae toe Ta Jannewarie my moes slaan totdat ek nie meer huil nie.

My Motta en ek het nie ander mense geken nie, net nog dié van die veld. Maar dit was maar altyd net ons twee. Daar was geeneen om te help nie.

Toe vat Motta my hand, sy gee dit 'n druk, ek voel haar vuur loop deur my hand. Dit loop tot by my binneste. Ek weet nog nie wat 'n hart is nie.

Die duiwel skreeu: Sal hy opklim of moet ek hom opgooi?

Motta neem weer my hand en soos sy loop, sleep-sleep sy haar voete deur die stof. Saam met haar loop ek net so stadig om die tydjie te rek.

Ek hoor: Klim, my kind – saggies. Ek klim op die perdekar met al my slawebesittings. En dit was net – my Wind.

Motta staan en kyk. Nie verstom nie, nie verskrik nie. Sy gee my 'n lewendige kyk deur oë wat se trane opgedroog het. Vir my is dit soos 'n doring wat ek op getrap het.

Toe Ta Jannewarie my seergemaak het, was dit 'n ander seer van dié wat ek nou so diep in my voel. Dit raak my Wind.

Die perdekar draai, ek sit agter en sien hoe staan my Motta – nie

’n mens nie, nie ’n beeld nie, en nie ’n slaaf nie. Net al die liefde wat ek ken. Ek sien sy loop sleep-sleep na die lap varkoorblomme wat ek vroegoggend water gegee het. Motta het gesê: Hulle is vêr van die dam af, hulle kan nie loop nie, Kaspertjie.

My kindgedagte sê my: Verlaat ’n mens die lewe so, sonder dat my keel gesny is soos ’n dier?

Ek sien my Motta nie meer nie.

My huil het gekom, my oog se waters val, ek voel dit is waar. Dit is so. Ek hoor my mond: Motta! My Motta, my Motta!

Ek voel die hou van ’n skoen se hak op my mond, ek sit my hand op my mond en nog ’n skoen se hou val op my hand. En met dit skreeu die duiwel: Hou jou bek!

Die duiwelvrou klim af by die groothuis van Hoop op Leef.

Ek hoor: Ek gee hom vir jou, Helen, en laat ek hom nie weer sien nie. Hy’s nou die Crudops se slaaf. Ry mooi, my broer se vrou.

Die jong ounooi praat niks verder nie. Haar kyk is sag.

My lippe is geswel en my voortande is los toe ek van die kar afklim op die nuwe plaas. My besitter wys my waar ek gaan slaap. Gelukkig is dit ’n hok weg van alles, waar ek alleen die droom van die dam kan sien in my gedagte. Ek werk, ek loop maar is nie wakker nie. Alles wat ek doen, is in die slaap.

My nuwe Bobaas, Bastiaan Crudop van die plaas Pasquael, gee my ’n paar klappe. Dit maak my wakker en bang vir hom. Nou sê hy vir my Ounooi ek is ’n goeie slawekind.

Dié wat wil praat op die plaas, praat met my – ek hoor die Bobaas se vrou het nie veel meer jare as ek nie. Sy is die derde getroude vrou. Die vorige begrafte vrou was Jan Meerland se suster. Al sy vrouens gaan dood, die Ounooi moet oppas, sê hulle.

Ek begin bang word vir die Bobaas en sien hom in dieselfde baaitjie as Ta Jannewarie. Alhoewel hy my nie seer maak nie, bly ek uit sy pad uit. Die slawe vertel ook: Die vryburgers praat nie goed van hom nie. Hy sal enigiets doen vir geld. Hy is ryk en ken nie sy rykdom nie.

Hy verkoop sy vrouslawe, sê hulle, as daar ’n skip op wal is. Dan staan hy sonder skaamte en neem die geld vooruit. Dié Bastiaan Crudop, hy gee die Ounooi alles, sê hulle, maar nie wat sy nodig het nie.

Ek verstaan nie.

Dán sê hulle: Hy het glad nie kinders nie, nie eens ’n los kind nie.

EK WORD GEDOOP

Die tyd loop. My Ounooi wil my laat doop. Sy sê vir my: My slafie, dan is jy een van ons.

Ek is deurmekaar en vra: Ounooi, dan moet ek die heidene ook verniet slaan?

Sy sê: Dit hang af hoe jou hart verander. Miskien aan die mooi kant of die aaglike kant.

Ek sê: Ek sal die mooi kant kies. Want die heidene loop ook maar op twee bene. Daar is geen verskil tussen die slaaf se loop en 'n vryburger se loop nie. Almal dra die Wind in hulle, so het my Motta vir my vertel.

Die Bobaas is tevrede. Hy sê vir Ounooi Helen: Hy is jou slaaf, Susanna se present aan jou.

Ek word gemeet vir mooi klere, en 'n vrygemaakte slaaf, ou Velby, word aangesê om my te leer hoe om reg te eet by die tafel. Hoe om my die praat van die burgerwoorde te wys en om altyd netjies te wees.

Jy is een van ons, Kasper, sê die Ounooi onverwags. Saggies. Sy weet nie ek het gehoor nie. Sy glimlag – en ek sien my eerste mooi vrou.

Die Ounooi se maniere leer ek ken sonder dat sy dit agterkom. Ek stel haar tevrede meer soos 'n vrye seun.

Toe laat sy my leer lees en skryf. Ou Velby is my eerste manvriend, oom, pa en leermeester. Ek het vir hom baie lief geword, maar my Motta is nooit vergete nie.

Daar was groot vreugde met die doop op die plaas Pasquael. En soos dit gesê is, net mense van gedrag en goeie naam was daar. Die Ounooi het gesorg dat die Bobaas vroeg na sy kamer gedra word.

Iemand het gesê: Nou lyk Helen vryer en gelukkiger, kyk hoe lag en geniet sy haarself.

My hand was baiemaal gevat en geskud met die woorde: Geluk, Kasper Crudop.

AMPER VRY

Die mooi seunslaaf vat sy Ounooi net waar sy wil wees met haar nuut geverfde tweeperdekar. Partymaal stap ek glad saam met haar en word op my naam gegroet: Kasper Crudop.

Ons ry kerk toe en word geaanvaar as: hulle twee.

Sondae lê die Bobaas dronk – sy plesier, sê hy, en my rusdag. Hy verwaarloos die plaas al hoe meer.

Die mense, die jaloerse klomp, begin praat. Hulle sê die ampermensslaaf dink hy is 'n baas.

Bastiaan Crudop hoor wat gesê word en gee sy vrou die eerste pak slae van haar lewe. Nie omdat hy lief is vir haar nie, maar omdat hy haar ook besit. Vir hom is sy net een van sy besittings. Hy het glo na my gesoek. Gelukkig het ou Velby daarvan gehoor en my dadelik laat wegsteek. En die Bobaas het nie geweet van my leermeester nie – weer my geluk, my geluk.

Die kombuisslaaf Kara kom eendag aangehardloop. Sy sê die Ounooi wil my sien – dadelik. Ek kry haar in haar kamer. Die Bobaas het haar glo uit hulle slaapkamer geskop met die woorde: Gaan slaap langsaan, ek sal jou roep as ek jou nodig het.

Dit is beter vir my, Kasper, het die Ounooi gesnik. Nou blaas hy nie meer sy dronk asem in my gesig nie. Sy sê vir die kombuisslaaf: Kara, gaan jy uit, en laat Kasper bly. Maak toe die deur, sê die Ounooi.

Ek sien albei oë is blou geslaan en toegeswel, haar klere geskeur en sy is vol rottanghoumerke.

Ek vra: Waar is die Bobaas?

Die Ounooi sê: Daar is 'n skip op wal, en hy is weg met die vrouslawe om te verkoop.

Toe loer ek en sien die Bobaas se kamer is leeg en ek draai om, terug na die Ounooi se kamer. Ek help die Ounooi in 'n ander rok inklim. Ek was haar gesig en vryf olyfolie op haar wonde. Ek voel haar liggaam word warm, haar gesig bloos.

Sy sê: Kasper, jy is amper man – ek sal wag.

DIE OUNOOI VERANDER

Ek sorg toe dat ek uit die Bobaas se pad bly. Die Ounooi kry haar pak slae soos dit gesê is, op sy tyd. Altyd verniet, met seer woorde ingesluit. Partymaal hoor die slawe: Kasper – dan die houe wat val.

Ek sê ek haat hom as sy haar hand om my nek sit, en dis vir my lekker. Snaaks dat ek uitkyk na die Ounooi se pak slae, en om te hoor van haar haat vir haar man.

Die ding draai die Ounooi vir my om in gevoelentes wat ek nog nie geken het nie. Sy vra: Noem my Helen maar nie voor ander mense nie.

So het dit aangegaan, aangegaan.

Die Bobaas hou op om vir Helen te slaan, hy is nie meer gesond nie.

Toe sê Helen soos ek haar nou roep: Kasper, nou is jy man, toe sy die warme stok voel. Saggies, hartkloppig sê sy: Hy is nou reg om my te slaan.

Die tyd loop. My Helen, soos ek haar nou in my gedagtes sien, kry 'n stukkie pens.

En soos my Motta gesê het: Kind, die lewe staan nie stil nie. Dit verander onverwags. Skielik begin die Bobaas hoes en die hoes neem sy lewe.

Daar is groot blydskap en vreugde onder die slawe. Na die begrafnis loop ek en Helen saam – sy swaar van lyf maar sonder skaamte.

Die burgers aanvaar ons. Ek dink die lewe is lekker, ek kan maar 'n slaaf bly, maar dan net Helen se slaaf.

Sy sit haar arm om my en gee my 'n soen vol op my mond en ek sê: Ek bly vir altyd net jou slaaf.

Nee, nee, sê Helen, ek het nog nooit ooit jou slawedokument gesien of gekry nie. Miesies Meerland sê sy het nie so iets nie, en Jan Meerland is dood. So jy was nog nooit 'n slaaf nie. Jy is een van ons. En laat ons maar ons eie slawe bly, net ek en jy.

So sit ons twee sonder om verder te praat.

Ons is.

Nou en dan word die hande gedruk in die nuwe warmte wat ek nou deel van is, en die hart klop vinniger sonder dat die liggaam beweeg het. Dit is iets wat lekker is. Ek leer nou die woord "geluk" ken. Nou kan ek ook die Here dank en sê: Dankie, my Verlosser.

My doopdag was die begin van hierdie nuwe lewe van Kasper Crudop. Die ou bitter dae is verby toe ek net Kasper sonder iets daarby gewees het. Maar die vlam van my Motta se liefde sal ek nooit uitblaas nie.

Ons sit saam om die eettafel die aand.

Helen sê: Hier is die dokumente, alles behoort nou aan my, Helen Crudop. Gelukkig vat die slawe nie meer vir jou as hulle soort nie. Ek sien hulle respekteer jou as jy verby hulle loop.

Toe sê sy: Ek kry lekker, dan sê ek vir myself: Daai is my Kasper.

Ek antwoord met 'n vraag: Helen, Helen, ek sal alles doen in my vermoë wat jy sê ek moet doen, maar ek vra jou, asseblief, om my nie te sê om 'n slaaf te slaan nie. Gee my liewer die voorreg om met die slaaf te praat.

Helen praat nie, sy gee my liewer 'n soen op my mond.

Dit was nag. Toe die sterre begin dof word met die breek van die nuwe dag, sê Helen: Ou Bastiaan Crudop is weg. Hier sit ek en jy met alles van hom. Dit alles behoort aan my – die goed en die vrot.

Sy druk haar los hand teen my bors. Kasper, Kasper, nou ken ek waarlik liefde. Maar ek weet jy mag my nie vra nie.

Na 'n lang stilte sit sy haar twee vingers op my mond, sy kyk my in my oë. Ek voel haar oë in my oë en ek sit my hand op haar warm maag.

Toe kom die woorde: My Kasper, trou met my, en laat ons saam die gemors skoonmaak.

Helen, antwoord ek saggies. Helen, jy, my Baasvrou, het my gedagte en kos gegee, en my vryheid – met liefde wat ek nooit geken het nie. Ek, Kasper gedoop Crudop, sal vir jou, Helen, op 'n skinkbord dra, vol gestop met liefde uit my hart.

Motta Mieta is lankal nie meer nie – dit het Helen uitgevind op een van die kere wat sy so alleen saam met ou Velby na Hoop op Leef gery het om meer omtrent Kasper se verlede te hoor by die slawe. Maar jare terug toe Helen haar eendag iets gevat het uit jammerte en dankbaarheid vir die sorg wat sy Kasper gegee het, het sy vir die ou slaaf gesê: Kasper praat nog altyd van sy Motta.

Ou Mieta het geantwoord: My Miesies, hy – Kasper – is my laaste gedagte wat ek saam met my neem as ek die aarde nie meer loop nie. Hy is in my hart.

Helen het daar weggery met die woorde wat oor en oor in haar ore maal. Ou Mieta se stem wat sê: Hy, Kasper, bloed van die teer-sagfyn vrou uit die Oos. Bloed van die growwe wit rooibaardman van oor die see. Nou gemeng vir 'n mooie blas-wit man van Kaap de Goede Hoop.

En terwyl Helen ou Mieta se stem hoor, dink sy in die stilte van haar hart: Blas-wit, ja, dit is my Kasper, wat my liefde dra.

En die warmte van die liefde maak tóé oor haar.

ETHEL BOONZAAIER
15/2/1905 – 3/3/1963

Matt. 19:14

Laat die kindertjies staan en
verhinder hulle nie om na My te
kom nie; want aan sulkes behoort
die koninkryk van die hemele.

Oom Benjiman Martin Jakobs is 'n amperbaas, soos die mense in Broadwaystraat gesê het, met die wese van 'n European. Voor die boepens, en agter plat met amper niks om op te sit nie. Haal hy sy keppie af, lyk dit asof hy sy kophare saam met sy keppie afgehaal het – daar sit 'n vol bles wat skyn. Hy lag hard vir sy eie grappe. En die mense sê: Hy maak op vir Tant Francina se suur gevreet.

Nou ja, op 'n dag stap Benjiman by sy kombuis in. Raai, raai, sê Benjiman vir Mammie, soos hy sy vrou noem, toe hy sy keppie afhaal en dit teen die spyker agter die deur ophang. En hy gaan sit met 'n laggie op die kombuisstoel.

En toe, wat maak jou so plesierig? vra Tant Francina haar man. Sy trek so bietjie suur, maar sit darem die koppie in die piering om vir hom 'n koppie tee te gee.

Raai, raai, sê hy weer.

Raai wat, sê sy vrou. Sy sit die koppie neer en kyk na hom.

Raai vir wie het ek vandag gesien.

Hulle kyk na mekaar. Ek wil nie raai nie, sê my of bly stil, sê Tant Francina.

Benjiman kry weer 'n laggie. Mammie, sê hy, sy lyk nog net so agtermekaar soos in daai ou dae in Beaconsfield, Kimberley. Maar vol plooie, net soos ek en jy, Mammie.

Tant Francina stryk haar voorskoot ongeduldig plat. Sy kort nooit haar voorskoot in die kombuis nie. As haar werk klaar is, hang sy haar voorskoot ook op aan die spyker agter die deur. Haar hare is grys. Wit ingekleur, sê sy. Sy het 'n plat neus en bruin oë. Haar onderlip hang soos 'n soplepel, sê party stuitige mense. Want Tant Francina lag nie maklik nie.

Nou wie kan dit wees? sê sy en bly staan soos iemand wat dink, toe sy die koppie tee wil neersit.

Haar man sê: Mammie, net wat ek tweede in die lyn is vir my pensioen, hoor ek die stem sê: Ethel van Wyk – ek is nuut hier, dame, ek kuier bietjie by ons kleinkind, Miltonstraat 17.

Ek verwag 'n registreerde koevert van Bulawayo.

Die naam weer? vra die meisie agter die toonbank.

Ethel van Wyk.

Ek dink toe ek ken 'n Ethel van Wyk en daai kan net haar stem wees. Sy teken vir die koevert en draai om.

En ek kyk vas in Ethel Boonzaaier se gesig. Sy gee my so 'n diep kyk en sy sê: Haai, ou Ben, leef jy nog?

Ek gee hand. Ethel, die tyd het gevlie, sê ek.

Ja, en baie van ons het met die tyd gevlie, sê Ethel, nog net so met daai laggie van destyds. Kan jy dink, Mammie?

Wat sê sy nog? wil Tant Francina weet.

Sy vra of ek getroud is.

Toe wat sê jy, my man?

Ek sê: Met ou Francina Els.

Toe wat sê sy?

Nee, sy sê sy is bly dat die Here ons by mekaar gesit het.

En wat nog? vra sy vrou.

Sy sê sy gaan ons kom kuier. Sy sal onse plek kry, want Mafeking is maar 'n klein plek. Ek stap toe saam met haar by die poskantoor uit, en weet jy wat, Mammie?

Wat, Benjiman?

Sy klim toe in een van daai nuwe Pontiac-motors en trek weg soos 'n mêdam.

Ethel Boonzaaier, sê Tant Francina met 'n sug. Ons ou Beaconsfield-Kimberley-mense sal haar nooit vergeet nie. As ons ou dorpenaars bymekaarkom, is dit net Ethel wat van gepraat word.

Ja, sê haar man met sy laggie, sy het altyd geskiedenis gemaak.

Nee, Benjiman, sê Tant Francina, ons vroumense praat van haar en beskou haar soos 'n suster. En gaan kyk jy, Benjiman Jakobs, of daar eiers in die hoenderhok is vir môre se brekfis.

DIE SLAAPLOSE NAG

Die nag skrik Oom Benjiman Jakobs wakker, helder wakker, uitgeslaap. Hy steek sy pyp brand en gooi sy oog op die sakoorlosie wat voor op die bedbankie lê. Tien voor een, sien hy.

Ethel Boonzaaier, of Ethel van Wyk, klim toe in sy gedagte. Hy dink aan hulle skooldae – die swaar tyd van 1932 kan hy goed onthou. Die jaar toe hulle groot stukke rooivleis – wildebees, het hulle gesê – by die Pastorie gekry het. Die swartmense het glo kwagga gekry, met die wit vel en die swart streep nog aan die vleis, so is daar gesê.

Hulle het ook 'n groot soplepel sop elke dag by die skool gekry.

Hulle moes hulle eie bekers skool toe bring. Dit was lekker sop met groot wit bone.

Baie van die kinders se pa's het hulle werk verloor. Werk was bitter skaars. Die grootmense het gesê dis die depressie.

Benjiman sug en vroetel. Elke draai wat hy in die bed gee, het te doen met iets wat in die verlede gebeur het. Nou en dan trek hy 'n suur gesig of hy glimlag so in sy draai in die bed.

Tot Tant Francina sê: Wat makeer jou? Word jy dan weer jonk?

Oom Benjiman maak maar net weer sy oë toe, vou sy hande oor sy bors, en daar gaan sy gedagtes weer. So loop hulle in elke hoekie en gaatjie van die dae in Beaconsfield, Kimberley. En waar sy gedagtes nie kan bykom nie, maak hy dit met sy verbeelding vol.

BENJIMAN JAKOBS ONTHOU TEACHER DOOLLIE

Ons was saam in Standard Two, ek en Ethel Boonzaaier. Ek was veertien jaar oud en Ethel nie minder as sewentien jaar nie.

Die onderwyseres, Miss Doollie, was soos hulle gesê het, 'n oujongmeisie. Ek kon die woord nie mooi verstaan nie, nie daai tyd nie. Ek onthou haar met 'n lang rok, waar net die swart amper-manskoene uitkyk, en 'n jong seun se fyn swart haartjies op haar bolip. Sy het 'n meisiefiets gery, met daai ou chain guards wat die hele ketting toegemaak het.

Sodat die wind haar hoed nie moes afwaai nie, het sy twee lang spelde met mooi gekleurde knoppe deur haar hoed en hare gesteek. Dit was haar gewoonte om die spelde op die krytplankie onder die swartbord te sit. Een wintersdag het iemand die twee spelde weggesteek. Ons het almal geweet dat dit Ethel was. Want vroeg die oggend het sy 'n paar speldsteke van Miss Doollie in haar agterent gekry oor sy weer iets nie geweet het nie.

Teacher Doollie het altyd gesê: Ethel, jy is die enigste mens wat die Here sonder harsings geskape het.

Ons het dit almal geglo. Want dom was Ethel seker maar.

Nou dink voordat jy antwoord, Ethel. Onthou, dink! Gebruik jou gedagte, het Teacher Doollie saggies gepleit.

Hoeveel vingers het jy?

Vyf, antwoord Ethel.

Teacher Doollie was al 'n groot vrou in jare, wat al verby die jare van moederskap was. Sy het 'n ingeboude jaloersheid gehad vir 'n jong vrou wat gelyk het of sy vrugbaar en vroulik was, want Teacher Doollie was nie 'n bewys hiervan nie.

Ons kinders het nie gelag as Ethel sulke antwoorde gee nie. Ons kon voel daar is iets in Ethel wat ons ander nie het nie. Sy het niks gevrees nie, veral nie mense nie. Grootmense het altyd gesê: Die meisiekind kan altyd so mooi groet en is altyd netjies in haar drag.

Nie skaam om met 'n emmer water op haar kop van haar buurman se put na haar bejaarde pa se eenkamerhuis te loop nie.

Saterdae vroeg het Ethel die kamervloer met mis gesmeer. Ag, Oom Boonzaaier het 'n wonderlike dogter, het die mense gesê. Liefde en onderdanigheid, water en seep – dit het nie harsings nodig nie.

ETHEL KRY WERK

Toe kom daar eendag 'n mêdam op soek na iemand om agter haar seun te kyk. Hy was – soos ons gesê het – nie vol mens nie. Sy sal die een goed betaal, het Missus Duncan gesê.

Teacher Doollie was in haar skik. Sy vertel die mêdam sy het net die regte een vir haar. En dink: Nou kan ek die leë dop wegkry.

Daar staan sy, wys Teacher Doollie.

She looks nice and clean, dink Missus Duncan. Een van die rykes van die dorp. En, soos die mense sê, een kind het sy gekry, een kind kon sy kry en nooit weer sal sy 'n kind kry nie – die vonnis van 'n ryk vrou.

Ek sal die werk graag wil hê, want Pappa is nou meer as 'n maand sonder werk, sê Ethel, en ek gee Mêdam my woord, ek sal mooi na die kind en my werk kyk. Maar ek moet eers vir Pappa vra.

Teacher Doollie kyk verbaas na Ethel, dan weer na die witvrou. Sy het nie geweet dat Ethel so mooi met 'n witvrou kan praat nie. Die gewone bruinkind is bang vir witmense, veral as hulle die eerste keer bymekaar kom.

Missus Duncan kyk vir Ethel en sien sy het bruin hare met twee vlegsels wat op haar borste hang, vasgemaak met twee uitgewaste, geskeurde lappies. Mooi oë wat bruin en amper skuins is. Haar kindersproete begin te verdwyn. Haar rok is mooi skoon, maar dit lyk na iets wat klein gemaak is.

Jy kan jou pa gaan vra, Ethel, sê Teacher Doollie.

Ethel beweeg uit die skoolbank. Toe sien Missus Duncan dat die groot meisiekind kaalvoet is.

Ethel gaan staan voor Teacher Doollie, haar hande toegemaak asof sy haar suiwerheid toemaak.

Baie dankie, Teacher, sê Ethel, toe sy haar in die gesig kyk. En gee 'n ongeoefende knieknik. Met 'n dankie vir alles. Sy draai toe om en gee vir ons klaskinders ook 'n knieknik en 'n glimlag.

So onthou ons, die Standard Two-klas van 1932 se kinders van Beaconsfield Coloured School, vir Ethel Boonzaaier.

Toe het Ethel by Missus Duncan gaan werk. En dit het gou rondgegaan dat die seuntjie nie wil eet as Ethel nie daar is nie. Dit was 'n gewoonte om te kyk hoe word Ethel party dae met die kar na werk huis toe gebring. Oom Boonzaaier kry toe ook tuinwerk by die Duncans. Pa en dogter is baie gelukkig. Hulle het hul kamer geverf, binne en buite, en twee peperbome voor die kamer geplant.

Teacher Doollie word skielik siek, en beswyk. Die mense sê dit was tering, wat die Engelse sê: TB. Dit was die dorpie se eerste grootmensbegrafnis in ons kindertyd. Ons almal was jammer vir Teacher Doollie, asof sy verniet gevonnis is. Die Katolieke Kerkvader het gesê: Teacher Doollie is in die hemel.

Ons was almal bly om dit te hoor. En soos dit is – daar is altyd iemand wat die verkeerde ding op die verkeerde tyd sê. Ouma Drieka het toe 'n dop in dié dag en sê: Die wurms gaan haar vreet.

Toe huil ek en van die ander van nuuts af weer. Die hitte van die hel kon ons verstaan, veral in die winter om die vuur. Maar dat die wurms jou moet opvreet! Teacher Doollie gaan vol paaitjies gevreet word, en sy kan haar nie roer nie.

As dit donker is, het ons kinders nie verby ons klaskamer geloop nie. Almal het gesê hulle het gesien hoe steek sy haar lang spelde deur haar hoed en hare.

Sy spook, het ons kinders gesê. Teacher Doollie spook! Noudat ek daaroor dink, is dit nie waar nie. Ek het saam gelieg.

Die nuwe skooljaar het gekom. Die predikant van die Engelse Kerk, hy wat sê dis sy skool, het dit kom sê: Onse nuwe teacher is op pad. 'n Mister Richard van Wyk – wên Waaik, het hy gesê.

Onse Beaconsfield Coloured School was 'n sinkgebou. Die mure was van sinkplaat, elke plaat had 'n ringmerk met die woorde: Made in England. Binne was dit rou stene, gepleister en wit gekalk. In elke gewelkant was daar 'n perdestaldeur wat bo en onder kon oopmaak, met twee optelskuifvensters in elke sy.

Ons het net twee klasse gehad: Standard One en Standard Two. Die muur wat die gebou verdeel het, was van riete. En partykeer hoor ons altwee onderwysers gelyk praat. Die afskorting is deur ons vaders van die gemeente opgerig. En as hulle daarvan praat, vertel hulle: Ou Compton – dis nou die Engelse predikant – het op ons gestaan tot die laaste riet vasgemaak is.

Die Standard Two-onderwyser was die senior en het die Standard One-onderwyser regeer. Die Standard Two-onderwyseres se naam was Teacher Josephina du Toit. Sy was lank en baie maer, met prinsnes-glase – soos ons dit genoem het. As sy haar glase afhaal, sit daar twee rooi kolle op haar neus, en haar gesig lyk nie meer dieselfde nie. Sy was die soort mens wat altyd rondkyk, met 'n kop wat te klein vir haar liggaam is. Die mense het gesê: Kos kan haar nie vet maak nie, die arme hotnotsgot.

Die vloer was gestampte miershoopgrond. Dit was ons kinders se werk om Vrydagnamiddag die vloer nat te sprinkel met water en met ons voete vas te stamp tot Teacher du Toit tevrede was. Ethel was altyd een van die voorstampers. As dit die slag reën, het ons kaal voete die stukke nat klei in die loop opgetel.

Die klok was 'n stuk wawielband. Dit het soos 'n onderstebo V aan 'n draad uit die doringboomtak gehang en dit is met 'n stuk yster in die mik van die V geslaan. Daai was onse klok.

Buite was daar groot peperbome, altyd vol duiwe.

In onse Beaconsfield School was daar kinders wat se pa's goeie werk by De Beers gehad het, en hulle het Engels gepraat en op ons neergekyk wat Afrikaans praat. Hulle het gedink dat hulle beter as ons is.

Ons het nie mekaar gehaat nie, ons kon net nie mekaar gewoond word nie.

Die skool het aan die Regering behoort en die Anglikaanse Kerk het dit regeer. En soos Reverend Compton dit altyd met groot lekkerkry gesê het: Everything English medium.

Om te tel in Engelse nommers was maklik maar om te lees nie so maklik nie.

Teacher du Toit het haar hande vol gehad. Toe Teacher Doollie dood is, moes sy van die een klaskamer na die ander loop om die kinders stil te maak, en net as sy uit die een klaskamer is, begin die kinders weer met hulle pratery en geraas. Dit was tyd vir die nuwe onderwyser.

ONS KRY 'N NUWE ONDERWYSER

Die Reverend Andrew Compton kom toe op 'n dag met die nuwe onderwyser. Ethel was toe al 'n hele tydjie in diens by Missus Duncan. Reverend Compton sê, en hy bedoel ons kinders: They are just like their mothers, they can never keep their mouths shut. Teacher du Toit, sê hy toe: This is the new Standard Two teacher – Mister Richard wên Waaik from Kakamas.

Dis 'n reënerige dag. Reverend Compton gee elkeen van ons 'n kyk en sê: I must get out of this rain, it is not good for me – en daar stap hy.

Teacher du Toit het die nuwe onderwyser se naam nie mooi gehoor nie. Sy vra toe: What do you say your name is? I am sorry I did not hear what the Reverend Compton said.

Rie-shit van Wyk, sê die nuwe onderwyser.

Oh! Now I remember, sê Teacher du Toit. Richard van Wyk.

Ons het ons nuwe onderwyser gou leer ken. Net soos hy ons moes leer ken. Ons het hom geken as Teacher Richard. As hy van homself praat, sê hy: Ek is Rie-shit van Wyk, en as die mense sy hand vat, sê hy: Rie-shit van Wyk. Hulle vra altyd weer, dan lag hulle en hy lag saam.

Die mense het gesê dat Reverend Compton gesê het dat Teacher Richard goed Engels kon skryf, maar gepraat het soos 'n Boer. Daardie dae was 'n skolier met 'n standerdses-sertifikaat seker van 'n teacher's job. Teacher Richard het lekker ingepas by ons Afrikaanssprekende kinders.

Eendag lees ons almal saam uit die School Readers Book van die big bad wolf. Soos gewoonlik, lees die Engelssprekendes die hardste.

Teacher Richard sê: Stop jas der. Hy vee die swartbord skoon en skryf – soos hy dit uitspreek – bie-y-die spells bêd. And you must not sy bêd, sy bêd!

So het ons kinders uit die Afrikaanse huise nog vir jare daarna gebêd vir "bad". Tot die radio ons oortuig het: bie-y-die is "bad".

Wat natuurlik presies was wat Teacher Richard ons probeer sê het!

ONS LEER OM TE SPEEL

Ons het toe ook leer speel – en dié was lekker.

Teacher Richard het vir die meisiekinders 'n gebreide riem gekoop en gesê dit moet gebruik word. Hy sê: Ek wil nie hê julle moet rondstaan en skinder nie. En hy het die meisies gewys hoe om te spring. Hy het 'n spyker in die muur geslaan en gesê: As julle nie die riem verbruik nie, moet hy hier hang. Toe hardloop almal speeltyd om die riem eerste te vat.

Hy kom eendag met 'n stuk hout by die skool aan. En vra waar kan hy 'n saag leen.

Piet Jonker sê toe hy sal sy pa se saag gaan leen.

Toe saag Teacher Richard vir ons 'n krieketkolf. Hy koop vir ons 'n tennisbal en leer ons hoe om krieket te speel.

Teacher Richard was nie veel ouer as Ethel Boonzaaier nie. En Piet Visasie het gesê: Hulle soort kry eers baardhare wanneer hulle dertig is.

Maar ons het hom geëer, want die grootmense het hom Skoolmeester genoem.

Hy was nie alte groot nie. As hy alleen staan, het hy nogal lank gelyk. Hy het 'n kroes kuifkop gehad – meer rooi as bruin. Met wangbene wat uitsteek. Gewone bruin oë. Tande wat vorentoe kyk. 'n Mooi, amper geel vel met 'n paar haartjies op sy ken. Tyd vir alles het hy gehad, niks het hom verveel nie.

'n Goeie brein met 'n Kakamasgedagte – so het Teacher du Toit van hom gesê.

Teacher Richard het by Tant Dora Jonathan loseer – sy het die mooiste huis in ons omgewing gehad. Sy het altyd van Maseru se mense gepraat, waar sy vroeër gewoon het, en haar geselskap afgesluit met: Ek wonder, lewe hulle nog. Sy het nie kinders gehad nie en haar man, Sersant – of Mister Sergeant – Jonathan, soos die mense hom genoem het, was van Nieu-Seeland. Hy het gekom in September 1900, het hy gesê. Om te help om onse Boere dood te skiet vir sy Queen Victoria.

Hy het vir die munisipaliteit gewerk. En die einde van die maand net 'n halfdag – sy pay-day, het hy gesê. Ons het dit geweet, want voor die son sak, stap hy dan uit die Love All-kroeg en loop huis toe. Nie soos hy gewoonlik loop nie, maar in die middel van die pad soos 'n soldaat. Nou en dan sê hy: Left, right, en kyk net voor hom.

Ons kinders het hom Oom Lef-Light genoem.

Hulle het twee ekstra kamers gehad en hulle verhuur aan twee loseerders: Teacher Richard en die bestuurder van die burgermeester van Kimberley se kar, Mineer Fraser. Hy was glo van die Boland. En as kind het ek gedink – seker naby die hemel.

KATKISASIEKLAS

Domanie Cloete het vir Teacher Richard gewoond geword. Toe sê hy: Meester van Wyk, ek bied jou aan die eer van katkiseermeester.

Dankie, Domanie, het Teacher Richard geantwoord. Ek sal die eer aanvaar en probeer nakom.

Toe het ons Sendingkerk se kinders elke Woensdagnamiddag katkisasie by die Pastorie gaan leer.

Ethel het toe Woensdagnamiddag afgekry van haar werk. Sy moes sewe dae 'n week agter Cyril van Missus Duncan kyk, want hy kon hom nie self was of skoonmaaak nie. Daar was niemand anders om hom te versôre nie. Missus Duncan sê toe, sy kan net die namiddag van haar werk afwesig wees.

Ons sien Ethel en Teacher Richard glimlag bietjies te veel vir mekaar. Ons kinders kan sien dat hulle nader aan mekaar trek. Ethel is glad nie meer so dom soos tevore nie. Sy het 'n nuwe soort gevoelentheid vir geleerdheid begin kry.

Een oggend storm Ethel die klaskamer binne. Mineer van Wyk! Mineer van Wyk! sê sy baie opgewonde en in angs. Hy het glo vir haar gesê sy moet hom nie Rie-shit voor die klaskinders noem nie. Pappa wil nie wakker word nie, sê sy.

Hy sê: Dit is very bêd en laat staan alles net so en gaan saam met Ethel. Toe Teacher du Toit se klas se kinders loop, gaan ons ook huis toe. Daar is toe mense by Oom Boonzaaier se kamer. Ons kinders gaan kyk wat is daar te sien. Toe hoor ons hoe bitter Ethel huil, en hulle sê Oom Boonzaaier is nie meer nie.

Die wit domanie van ons Sendingkerk het vir Oom Boonzaaier begrawe. Daai jare het ons nie bruin domanies gehad nie, net ouderlinge. Oom Herman, so het die grootmense gesê, was onse ouderling maar hy kon net praat as hy 'n dop inhet.

Die domanie het die dag gesê: In ons almal se paaitjies lê die dood vir ons en wag. Ons kan nie die dood verbystap nie.

Die dood – ek kon dit nie verstaan nie. Waarom moet mens doodgaan? En wat word van 'n mens? Oom Boonzaaier se dooievleisgesig het vir dae aaneen my gedagte ingekruip.

Dit was so: Ethel se pa het in die kis gelê wat hulle op twee stoele neergesit het. Sy oë oop soos 'n wa – soos ons manier van sê was. Van dié wat nie bang was nie, het hulle wysvinger voor die oë van Oom Boonzaaier geswaai om te sien of sy oë nie dalk knip nie.

Toe sit Ouma Drieka op elke oog twee pennies, laat die ooglitte kan afsak, maar Ethel haal die pennies af en sê: Dit maak Pa se oë seer.

'n Tante het 'n doek oor die oop oë gebind, maar Ethel haal dié ook af. Sy sê: Pa is nie siek nie.

Sy vat toe haar pa se bril, wat hy by Mister Duncan gekry het, en wat hy altyd verbruik het om kleingeld te tel. Sy vee dit skoon en sit die bril oor haar pa se oë en sê: Dit is ook Pa.

So is die kis se deksel toe oor die bril vasgeskroef.

Ethel het net haar pa geken, sy het nie geweet waar haar pa of ma se familie te kry is of woon nie. Nou vind Ethel Boonzaaier haar stoksielalleen in die wêreld. Gelukkig is Teacher Richard daar om haar te troos. En sy kan haar gevoelens by hom uiter. Maar hy het haar nog nie 'n soen gegee nie. En sy kyk hom met 'n liefdevolle gedagte, 'n eerbare liefdesgesig, die soort wat sy haar pa gegee het.

Die aand na die begrafnis sit hy haar hand in syne. En so sit hulle sonder om te dink of iets te sê. In die stilte voel hulle hoe klop twee harte gelyk saam.

Hy sê: Meisiekind, ek moet nou loop en gaan slaap.

Sy dink, maar die woorde wil nie uitkom nie. Sit langer, hoop sy.

Hy sê toe vir haar: Sê die woorde saam met my voordat ek gaan slaap:

Die Here is my Herder; niks sal my ontbreek nie.
Hy laat my neerlê in groen weivelde;
na waters waar rus is, lei Hy my heen.
Hy verkwik my siel; Hy lei my in die spore van geregtigheid,
om sy Naam ontwil.
Al gaan ek ook in 'n dal van doodskaduwee,
ek sal geen onheil vrees nie;
want U is met my: U stok en U staf dié vertroos my.
U berei die tafel voor my aangesig teenoor my teëstanders;
U maak my hoof vet met olie; my beker loop oor.
Net goedheid en guns sal my volg al die dae van my lewe;
en ek sal in die huis van die Here bly in lengte van dae.

Na die amen voel sy haar hand warm in sy hand en hy gee haar 'n drukkie. Nag, Ethel, sê hy en stap die kamer uit. Hy kyk om. Sorg dat jy die deur op knip sit, sê hy. Jy is nou alleen, Ethel. Onthou.

VOETBAL

Harold James breek toe sy arm die dag toe dit ons seuns se beurt is om met die tennisbal rugby te speel. Dit was ons tweede rugbyles. Die meerderheid van ons het kaalvoet gespeel, want ons skoene was net bedoel om Sondae mee kerk toe te gaan. En ons het die yes-en-you-know-span – soos ons die Engelspraters genoem het – meer as lekker afgeknou. Hulle was mos nie eintlik bang vir ons – die funny lot – nie, soos hulle ons genoem het.

Ongelukkig is Harold James uit 'n huis wat Engels praat en sy familie gaan kerk by die All Saints Church. Hy sit 'n groot bek op toe hy sien hy kan nie sy hand beweeg nie. Teacher Richard het toe 'n tamatiekis se planke geneem en daarmee sy arm gespalk. En vir hom op 'n geleende fiets na die dokter geneem. Sy ma kry net daar vir Reverend Compton om – soos hulle gesê het – vir Teacher Richard te kom face by die skool. Ons kon nie hoor wat gesê word nie. Maar ons het darem gehoor Teacher Richard sê vir die Engelse predikant: De children will play de bôl with another bôl.

Toe word ons geleer om sokker te speel. Ons ouers was baie tevrede vir die nuwe soort game want ons klere was nie meer geskeur nie en ons kniekoppe nie vol sere nie.

Die meisies het ook 'n dag gekry om met die tennisbal te speel. Hulle het die tennisbal met die hand geslaan en getel hoeveel keer hulle die bal met die hand kon raak slaan. Na 'n honderd of 'n mis was jy uit om 'n ander meisie haar kans te gun.

Teacher Richard stig toe dieselfde tyd 'n sokkerspan vir die jong seuns – die manne van Beaconsfield. En hulle kry die naam Beaconsfield Wolves. En dit was lekker om Saterdagnamiddag op ons nuwe speelgrond te skreeu – vir die Jakkalse.

HAI ALLIE SE VROUENS KOM VRA VIR TROU

Een Woensdagnamiddag, die dag wat Ethel afwesig is van haar werk om na die Pastorie toe te gaan, gooi sy die skottelgoedwater uit en Teacher Richard loop verby. Dit was nou sy gewoonte om verby Oom Boonzaaier se kamer te loop.

Dag, Ethel, sê hy.

Dag, Mineer van Wyk, sê sy, want sy staan buite.

Kom, kom binne, sê Ethel. Ek het iets om jou te vertel.

Ek sal nie lank sit nie en moenie tee maak nie, Ethel. My tee wag vir my by Tant Jonathan.

Weet jy wat, weet jy wat, Rie-shit, sê Ethel toe Richard eers binne is. Maar dis nes sy vassteek.

Praat, Ethel, ek het baie om nog te doen.

Rie-shit, sê Ethel, Hai Allie se twee vrouens was hier gewees. Ek glo nie jy ken hulle nie.

Ek het hulle nog nie gesien nie, maar ek het gehoor van hulle, sê Richard.

Wel, hulle sê, Hai Allie het vir hulle gestuur om my te kom vra om met hom te trou, sê Ethel. Wat dink jy daarvan, Rie-shit?

Ek weet nie wat om te sê nie, antwoord Richard na 'n lang stilte. Hy staan op van die stoel en sê: Dit sal beter vir jou wees om een van ons grootvroumense te vra.

Toe hy wegloop, skud hy sy kop. Trou sonder om te vry, sê hy vir homself met 'n sagte laggie. Maar toe verdwyn die laggie sommer weer van sy mond af.

Ethel laat staan alles net so sonder om haar Sondagrok aan te trek vir die katkisasieklas. Sy kry vir Ouma Drieka op haar bankie sit, onder haar groot peperboom.

Dag, Ouma Drieka, groet Ethel.

Dag, my kind, sê Ouma Drieka, kom sit 'n bietjie met my. En sy vee die sitklip skoon met haar hand.

Ouma Drieka dink toe: Die verlies van haar pa het haar maer gemaak. Arme kind het nie familiemense hier nie. Die wolwe lê en wag vir haar. Gelukkig gaan sy gereeld kerk toe. Die Here kyk agter sy mense net soos die duiwel agter sy eie kyk.

Ouma Drieka het reeds gehoor van Hai Allie se twee vroumense wat uit Ethel se kamer gekom het. Hier in Broadway, Beaconsfield, kan niks weggesteek word nie.

Wat kan jy my vertel? vra Ouma Drieka toe Ethel eers op die klip sit.

Ouma, sê sy.

Ja, praat, my kind, sê Ouma Drieka.

Hai Allie se twee vrouens was gisteraand by my gewees, sê Ethel.

Ja, sê Ouma Drieka, sê vir my alles, my kind.

Ek moet vir ou Boonzaaier se meisiekind probeer help, sy ken nog nie die lokvalle van die wêreld nie, dink Ouma Drieka.

OUMA DRIEKA VERDUIDELIK

Hulle sê ek moet met Hai Allie trou, sê Ethel.

Kind, sê Ouma Drieka, die vrouegeslag word nie gesê om te trou nie. Hulle word gevra. Jy is die een wat moet sê – ja of nee. Wat sê hulle nog, my kind?

Hulle sê hulle sal my halaal. Wat meen dit, Ouma? vra Ethel.

Ouma Drieka lag met 'n oop mond. Ethel sien haar min tande wat oorgebly het.

Ouma Drieka haal toe haar doek af en skud dit uit asof dit vol stof is – haar gewoonte as sy haar geselskap begin geniet. Haar hare is spierwit en dit begin uitval. Haar hande se vel is grof en bruin net soos haar gesig – vol plooie wat diep gesny is met die jare se verandering.

Halaal bedoel eintlik skoon. Hulle eet nie ons mense se kos nie, hulle sê dit is garam, verduidelik Ouma Drieka.

Is ons kos dan vuil? vra Ethel.

Ja, my kind, in hulle oë. Hulle bid – of batcha, soos hulle sê, as die dier of hoender se keel gesny word, sê Ouma Drieka.

Dan sal Hai Allie my nikka – het hulle gesê, vertel Ethel.

Nikka meen trou, antwoord Ouma Drieka.

Ek wil rêrig nie 'n man hê wat my pa se ouderdom het nie, sê Ethel, en ek sal nooit voor hom kan uittrek nie, voeg sy by.

Jy sal sy derde vrou wees, die kleinvrou. En die twee grootvrouens sal meer jou baas wees as jou man, sê Ouma Drieka. Hulle geloof laat hulle toe om meer as een vrou te trou.

Maar die Bybel sê nie so nie, antwoord Ethel.

Ja, maar hulle se Bybel sê hulle kan, hulle noem dit die Heilige Koran, net soos onse geloof getuig van die Heilige Bybel, verklaar Ouma Drieka. Sy dink weer en sê: Ons moenie oordeel nie, kind.

Hulle vra my, en wat dink Ouma hiervan? vra Ethel.

Wat vra hulle?

Hulle het gesê: Jy is seker nog 'n maagd, want onse manne wil nie 'n vrou hê wat gespoil is nie.

Ouma Drieka lag weer met haar mond oop, sonder om skaam te wees vir haar oorblytande. Onthou, hulle sal weer kom. Daai soort man gee nie sommer in nie, sê Ouma Drieka. Maar dis maklik om hulle weg te hou van jou af.

Hoe moet ek hulle weghou? vra Ethel.

Jy moes net gesê het jy weet nie hoeveel manne jy al gehad het noudat jy alleen in die kamer slaap nie, sê Ouma Drieka.

Daar is stilte.

Hulle sal weer kom en vir jou 'n present saambring van die oujong af, vertel Ouma Drieka.

Hulle het klaar 'n bord koeksisters gebring met 'n wit lap oorgegooi, sê Ethel.

Wat! sê Ouma Drieka en staan op van die bankie. Het jy daarvan geëet, Boonzaaier se kind?

Nee, Ouma, antwoord Ethel.

Ouma Drieka sit weer op haar bankie, haar hand op haar hart.

Jou geluk, my kind, sê sy. Jou geluk. Toe vat sy Ethel se hand asof sy haar wil optrek.

Daai koeksisters het die oujong gebewerk. Hy is die grootste doekom hier in die hele Beaconsfield, sê Ouma Drieka.

Wat is 'n doekom? vra Ethel.

Dit is 'n toordenaar wat op die swart kant werk. Dit is die een wat mense in die lewe seer maak. Mense betaal hom om dit te doen vir hulle. Jy moet baie versigtig wees, my kind, sê Ouma Drieka.

Het jy growwe sout in die kamer? vra Ouma Drieka na 'n ruk.

Nee, net fyn sout, sê Ethel.

Dan vat ek van myne, sê Ouma Drieka.

Hulle staan op en loop saam om die sout te gaan haal. Agter Ethel se kamer sê Ouma Drieka: Maak 'n gat hier.

Na Ethel die gat gegrou het, gooi Ouma Drieka die growwe sout in die gat. Gaan haal die bord met die koeksisters, sê sy. Is jy seker dat jy nie hiervan geëet het nie? vra Ouma Drieka weer.

Ek het nie, Ouma, antwoord Ethel.

Ouma Drieka gooi die koeksisters in die gat en strooi weer growwe sout oor die koeksisters en maak die gat vol sand. Sy stamp dit plat met die agterkant van die graaf.

Ouma Drieka neem 'n stokkie en teken 'n kruis daarop. En sê: Ek stuur die vuilgoed terug waar dit vandaan kom – in die naam van Jesus.

Die aand vertel Ethel vir Richard waarom sy nie die katkisasieklas bygewoon het nie.

Wat vertel jy my nou? sê Richard.

Hy sê toe: Daar is so iets soos 'n mens wat met 'n swart gees 'n lewe maak. Swart gees bedoel glo alles van die duiwel se kant af. Hy, die toordenaar of heks, verkoop sy siel aan hom – die duiwelsgees. Richard skud sy kop.

Toe sê hy: Waar is die mense se ontsien en meegevoelens? Oom Boonzaaier is nog nie 'n maand dood nie. Is die slaap met 'n vrou party manne se hoogste begeerte dan?

Hy staan op en vat Ethel se hand en gee dit 'n drukkie.

Nag, Ethel, sê hy en loop weg.

Daar is groot vreugde in die Sendingkerk. Die gemeente is almal teenwoordig vir die aanneming. Party van ons het nuwe klere gekry. Maar dié wie se klere gelap was, was nie skaam daarvoor nie. Vir ons ouers was ons kinders elkeen spesiaal vir hulle, en die klere was bysaak dié Sondagoggend.

Nou was die katkisasieklas ook verby. Maar Ethel sê Missus Duncan weet nie dat die aanneming oor is nie. En Ethel hou maar aan om Woensdagnamiddae van die werk af te kom. Sy gaan koop vir haar kosgoed by die winkel in Cape Town Road – ou Jop se winkel. Die winkel was die dag vol mense, want Woensdae was ook die dag wat ou Jop vars groente gekry het. Die mense is nie haastig nie, want die namiddag was nog jonk.

En toe kom Hai Allie ingestap. Die mense gee gewoonlik pad vir hom, want daar is 'n soort vrees wat hy saam met hom ronddra. Almal kan dit voel, maar weet nie wat dit is nie.

Ethel het hom nie gesien inkom nie en vat nie notisie van hom nie.

Daar slaan Hai Allie haar op haar agterent met sy plathand en sê: Jy gaan nog myne word.

Ethel herken die stem en sê van skone bangheid: Jou vuilgat!

Hai Allie sê: Wat sê jy?

Ethel antwoord met 'n bang skreeu: Ek sê jou vuilgat!

Die mense in die winkel is verstom, ander die lag. Hy sê: 'n Kind het nog nooit vir my dit gesê nie. En dit 'n nasara-garam meid. Vir jou gaan ek regmaak.

Met dié stap hy toe uit die winkel.

Die mense sê: Ethel, gaan agter Hai Allie aan en vra verskoning. Gaan sommer nou dadelik, kind . . . Hy gaan jou baie seer maak, ons ken hom.

Ek sal nie, sê Ethel. Ek het hom niks gedoen nie, dit is hy wat my stêre geslaan het.

Dit was die Woensdagnamiddag. Die Vrydag het almal nog net van die seermaak van Ethel gepraat in Broadwaystraat, Beaconsfield. En hulle wonder hoe gaan Hai Allie haar seer maak. Elkeen het sy eie prentjie gevorm.

Ethel steur haar aan niks, want sy is die meeste van die tyd by haar werk.

OUMAS GAAN VRA OM VERSKONING

Van die ou grootmense het na Hai Allie gegaan om hom te vra om vir Ethel te verskoon en te vergewe. Sy het kortlings haar pa verloor, sê hulle, sy is jonk en ken nog nie die droefheid van die wêreld nie.

Asseblief, Hai Allie, het Ouma Drieka gepleit. Ouma Drieka weet van sy begeerte dat hy vir Ethel sy derde vrou wil maak. En as hy nie vir Ethel kan kry nie, sal dit sy manlikheid beledig en hom verklein. Ouma Drieka weet al die dinge.

Jy, Drieka, kan maar vra dat ek haar moet verskoon tot die hoenders begin praat. Ek sal nie, het hy gesê. Ek sal haar nie seer maak nie, ek sal haar net skaam maak, ou Drieka. En loop nou, ou Drieka, dit sal Saterdag op die voetbalveld wees wat ek Ethel gaan skaam maak.

So het Ouma Drieka die nuus versprei en verkondig: Saterdag op die voetbalveld gaan Hai Allie vir Ethel skaam maak. En die een het dit vir die ander gesê tot die hele Beaconsfield dit geken het en dit verwag het.

Ethel hoor die ding en sê vir Richard.

Richard sê vir Ethel: Ag! Moenie bang wees nie. Die toornaar-doekom moet jou eers iets ingee, sonder dit is hulle hulpeloos.

Ethel dink toe aan die koeksisters wat Ouma Drieka begrawe het. En die bord wat sy met 'n paar soutkorrels teruggestuur het.

Môre is Saterdag, sê Ethel, en ek is nie bang nie, Rie-shit.

Hai Allie was 'n kort dik man, iemand wat lekker kos gewoond was. 'n Bruin, meer swart, gesig. Met halfwit baard en 'n hangneus, en nooit sonder sy koefia nie, sy ronde rooi hoed met 'n swart tossel. Dan het hy altyd so stadig geloop met sy tailor-made suit aan.

DIE GROOT SKANDE

Kom Saterdag, is daar groot voetbal in Beaconsfield. Onse span, die Wolves – of soos ons skreeu, die Jakkalse – speel teen die Kimberley Collies. Die mense praat nou nie meer van Ethel se skaammaak nie. Dit is nou net van sokker wat van gepraat word. Daai tyd speel hulle 'n uur – halftyd vyftien minute – dan weer 'n uur van die ander pale af.

Net voor halftyd is die telling een doel elk en daar was ook al 'n paar geveggies tussen die Beaconsfield- en Kimberley-bystanders, wat 'n paar sopies ingehad het. Ons het nie 'n grand stand gehad nie. Almal het om die wit kalklyn van die sokkerveld gestaan.

Halftyd, tien minute oor vier, stap Ethel oor die voetbalveld. Daar word nou nie meer van die wedstryd gepraat nie. Die een trek die ander se mou. Kyk!

Alles is doodstil.

Ethel stap deur die een doelpaal na die ander doelpaal. En kom terug en kom staan op die middellyn. Sy staan stil asof sy seker maak dat al die mense haar sien. Draai haar om en weer om. Toe begin sy haar uittrek.

Eers haar skoene, en sy is ook nie haastig nie, sy vat haar tyd, draai haar kop heen en weer met 'n glimlag.

Dan haar kouse.

Dan haar rok.

En haar onderrok.

Richard was nie daar nie, hy moes een van die spelers na die dokter toe neem op 'n fiets. Op daardie oomblik kom hy aangery en sien vir Ethel op die halflyn staan – helfte nakend. Die mense staan almal om haar op die veld. Daar is stilte asof hulle opgewonde is – elkeen 'n peeping Tom wat deur sy eie gleuf kyk.

Teacher Richard ry toe sommer oor die voetbalveld na Ethel toe. Haar bolyf is kaal en sy is besig om haar panty af te trek. Sy vat haar tyd, en iemand sê: Kan sy nie gouer maak nie?

Richard gooi die fiets neer. Hy houvas haar panty met die een hand, trek sy baaitjie met die ander hand uit en gooi dit oor haar. Hy tel die fiets op en sê: Klim, Ethel.

Maar Ethel staan soos iemand wat aan die slaap is. Hy neem vir Ethel by haar een arm en so trek hy die lewende dooie liggaam vorentoe. Die mense tou agterna. Hulle wil alles sien – voorbarigheid is die rykdom van die arm mens.

Die mense lag want vir hulle is dit iets wat nie kan geglo word nie. Gelukkig of ongelukkig is daar nie ou vroumense wat die wedstryd bywoon nie. Party van die lawwe ou manne het gesê: Die blerrie fool, hy moes laat ons alles gesien het.

Richard haal Ethel se kamerdeur se sleutel van haar nek af, waar sy dit gewoonlik dra aan 'n toutjie. Hy maak die deur oop, gaan binne en trek vir Ethel aan die hand in die kamer in.

Sy gaan sit op die bed en kyk rond, verbaas, asof sy nou net uit 'n droom gekom het. En nou? sê sy.

Sy kyk vir Richard vas in sy gesig, dan weer na sy baaitjie wat sy oor haar het. Sy hou die baaitjie voor bymekaar met haar hand om haar borste toe te hou.

Ek sê, sê Ethel, ek vra jou, wat het jy met my gemaak, Rie-shit van Wyk? Julle mense maak net wat julle wil met my, noudat ek nie meer 'n pa het nie. Waar is my skoene? kyk sy rond op die kamervloer.

Richard bly stil, hy dink ook wat gebeur het. Hy moet ook maar stadig dink om te glo waar hy nou sit.

Ek sê, skreeu Ethel, wat het jy met my gemaak, jy, Rie-shit van Wyk?

Die deur is oop en daar staan mense buite – soos dit die gewoonte van Broadway se mense is. Hulle wil alles self hoor, hulle wil nie gesê word nie.

Robert Kamies kom met Ethel se klere en skoene.

Sit maar neer op die stoel, sê Richard.

Toe sê Richard vir Ethel wat gebeur het.

Sy sit met haar hand op haar mond – verstom – en kyk op die vloer. Nou en dan maak sy haar hand oop om te sê: Ek glo dit nie, dit kan nie waar is nie, kan dit waar is?

Nou hoe dink jy, het jy hier in die kamer gekom? vra Richard.

Ethel sê: Ek sien my net hier sit met jou baaitjie oor my skouers. Ek onthou by die kruisstraat in Central Road het ek gestaan en rondkyk asof ek iets vergeet het. Dit is al wat ek kan onthou. En nou wat ek amper kaal sit hier.

Ouma Drieka stap toe die kamer in. Gaan jy uit, Mineer van Wyk. Trek jou slaaprok aan, Ethel, en klim onder die kombers. Soos gewoonlik het Ouma Drieka sommer saam met die botteltjie rooilaventel gekom. Sy vat water in 'n koppie en gooi 'n paar druppels daarin. Drink, my kind, sê Ouma Drieka. Dit kon baie slegter gewees het. Ek loop, slaap jy.

Dit was 'n ware gebeurtenis wat die Beaconsfield-mense nie genoeg van kon praat nie.

Ethel het daarna vroeër werk toe gegaan en later huis toe gekom om die mense te vermy. Sy was baie skaam vir Richard. Want in haar gedagte was hy die enigste mens wat haar so gesien het. Ag! dit was nie lank daarna nie toe stap hy die Boonzaaierkamer binne en loop weer met sy: Nag, Ethel – en 'n drukkie in haar hand.

Die telegram-boy met die rooi poskantoorfiets klop aan die deur met die nommer veertien in Harrisonstraat. 'n Groot swartvrou maak die deur oop. Sonder om te groet, sê hy: Telegram vir R. van Wyk.

Die vrou – Tant Dora Jonathan – kyk hom met 'n aandag. Sy wil eers sê: Kan jy nie groet nie? maar toe dink sy: Wat sal dit help, hierdie soort mens dink altyd dat hulle hoër as ons is.

Hy's by die skool, sê sy en maak die deur toe.

Die telegram-boy ry weg. By die skool sit hy sy rooi fiets teen die sinkmuur van die skool neer. En loop tot by die deur. Mister van Wyk, sê hy, met die telegram hoog in sy hand.

Teacher Richard stap nader en neem die geel koevert. Dankie, sê hy.

Teken hier, sê die telegram-boy asof hy hom 'n guns gedoen het.

Teacher Richard se gesig verander skierlik toe hy die telegram lees. Hy sit die koevert in sy sak, stap na die ander klaskamer en sê vir Teacher du Toit: My pa is oorlede, ek moet hom gaan begrawe – ek loop nou.

Ons kinders weet nie hoe hy weggegaan het nie. Ons onthou net hoe lekker dit was in die Standard Two-klas – sonder 'n onderwyser, vir amper twee weke.

Teacher Richard stap die môre die klaskamer in – die son sit al hoog – met 'n swart lint op die linkermou van sy baaitjie. Hy het glo eers vir Ethel gaan groet by haar werk.

Teacher du Toit bring haar klas se kinders om en ons is almal in die Standard Two-klaskamer. Sy gee vir Teacher Richard 'n glimlag – hartseerlik uitgedruk.

Daar is stilte en Teacher du Toit se kop wat sy nie kan stilhou wanneer sy haar gedagte moet gebruik nie, draai heen en weer. Kinders, sê sy, sê agter my aan: We feel the great loss of your father – also our loss, Teacher Richard.

Onse skool was mos English Medium.

Toe Teacher du Toit begin huil, huil ons kinders saam met haar.

Kinders, sê Teacher Richard. Toe bly hy stil en ons sien dat daar trane op sy wange is, wat hy met sy sakdoek afvee. Ek is dankbaar en waardeer Teacher du Toit en julle se meegevoelens. Slaan die klok, sê hy vir 'n seun. Ons gaan huis toe.

Dit was die eerste en die laaste dat ons gesien het die twee onderwysers loop saam van die skool af.

Teacher du Toit was baie ouer as Teacher Richard. Hulle het in baie dinge verskil. Sy wou Engels wees, soos die Reverend Compton, het ons hoor sê. Net, sy kon dit nie gewoond word om Rie-shit te sê sonder om te lag nie.

Noudat ek terugdink, het hulle nogal mooi oor die weg gekom.

RICHARD GAAN VANG VIS

In die somernagte het Oom Solomon Boonzaaier met sy kamerdeur oop geslaap, 'n gewoonte wat Ethel ook nou het. Sy is nie bang nie en dink ook nie daar kan iets slegs met 'n meisie gebeur wat alleen met 'n oop kamerdeur slaap nie.

Richard en Ethel trek al nader aan mekaar in gedagte en gewoonte. Maar hy het haar nog nie 'n soen gegee nie. Hy is hoog tevrede net om haar hand 'n drukkie te gee as hy groet voordat hy loop. Partymaal voel Ethel om hom sommer om die nek te gryp en haar lippe op syne vas te druk. As hy maar net weet, hoop sy, hy is al wat sy in die wêreld het.

Die Vrydag loop Richard vroegaand, want môre moet hy skemeroggend weg wees. Hy gaan visvang by die groot pan, sê hy vir Ethel. Daar is geelvis en barbers.

Ek hoop ek vang twee van elkeen vir jou en vir Tant Jonathan.

Laat my saamgaan, Rie-shit, dan dink ek nie so baie aan jou as jy weg is nie, soebat Ethel.

Nee, sê hy, jou werk is belangriker. Jy weet hoe baie mense wens hulle het jou werk gehad.

Olraait, antwoord Ethel, dan sien ek jou môre as jy met die vis kom.

Miskien het ek bêd lak en kom met niks, sê Richard. Hy neem haar hand weer en gee dit nog 'n drukkie. Ek loop nou, sê hy. En onthou, sit die deur se knip aan, hou die deur toe, het jy gehoor?

Ja, Rie-shit, sê sy.

Klein vannag daardie Saterdag – soos die beginsel van die oggend genoem word – skreeu Ethel Broadwaystraat wakker. Dit is volmaan. Toe die mense uitkom, staan sy buite voor haar pa se kamer.

Sy skreeu-huil en slaan haar bors: Moet dit dan ek wees? Waarom altyd ek, Here? Het ek dan nie gevra: Here, waak op my, asseblief, nie? Het U my dan nie gehoor nie! huil sy bitterlik. Rie-shit, my Rie-shit, moet ek jou dan só verloor, moet my eer wat aan jou behoort, so gesteel word?

Sy huil, stamp haar voet en skeur haar rok. Sy houvas die knop op haar voorkop, waar sy geslaan is met iets hards. Haar rok is geskeur, sy het haar uitgeskreeu, maar met 'n hyg-asem sê sy: Rie-shit, my Rie-shit, die Engelse vark het dit wat jou eer moes wees, gesteel.

Rie-shit, Rie-shit, prewel sy nog saggies maar haar knieë gee in en sy sak inmekaar – bewusteloos.

Daar is een of meer van elke huisgesin wat kom kyk het. Ouma Drieka sê: Gaan haal my rooilaventelbottel – maak gou. Gee haar wind, mense.

Sy is nou al lank weg, sê Tant Mollie, ook een van die grootvrouens.

Sit die natlap op haar kop, sê 'n ander vrou en gee dit vir Tant Mollie.

Toe word daar orals gefluister en hier en daar praat iemand sommer hard wat hy dink. Die meeste mense het net die hele tyd Rie-shit se naam gehoor in Ethel se deurmekaar pratery.

Ek het hom nooit vertrou nie, sê 'n meisie wat min of meer Ethel se ouderdom is.

Ja, sê 'n ander, jy kan dit net van geleerdes verwag. Ons ongeleerde skepsels doen nie sulke onmenslike dinge nie.

Hy is verniet so stil, sê 'n grootvrou.

Ja, antwoord die een wat langsaan haar staan. Stille waters – diepe grond.

Piet Visasie is nog half dronk van die Vrydagaand. Wat het gebeur? vra hy.

Die skoolmeester het vir Ethel verkrag, sê 'n paar mense gelyk.

Wat! Onse Ethel verkrag! sê hy.

Ja, sê 'n paar mense weer saam.

Piet Visasie haal sy knipmes uit sy broeksak, maak dit oop en begin die mes op 'n klip slyp. Waar is hy? Ek gaan hom kapater.

Dit is toe dat Ethel by haar bewustheid kom.

Sê wie dit is, kind, vra Ouma Drieka.

Dit is Victor Jones, sê Ethel.

Sê weer, laat die mense hoor, kind.

Dit is Victor Jones.

Het julle gehoor wat Ethel gesê het?

Ja, sê die mense weer. Victor Jones.

Daai Engelsprater, sê iemand.

Toe hou die praat glad nie meer op nie.

Piet Visasie sê: Ek gaan die poeliese gaan haal voordat ek self in die tronk beland. Hy ry toe so wankelmoedig weg met sy fiets.

Net vir gou kom hy terug met Konstabel Abel van der Merwe, ook op 'n fiets. Konstabel Abel wou nie meer 'n Boereseun wees nie. Hy het glo 'n Engelse vrou getrou, en het altyd gesê: Ek is Constable Abé van der Merwe.

Constable Abé sê toe: Ek gaan hom arresteer.

En soos dit die gewoonte is in 'n arm gemeenskap – hulle stap almal agter die poeliesman aan wat op sy fiets ry. Nie om te hoor nie, maar om self te sien, soos hulle gesê het.

By nommer 7, Rectory-straat, klop die poeliesman so hard soos hy kan. Alles is donker en 'n lamp word aangesteek – die simbool van rykdom.

Is Victor Jones hier, Miesies Jones? vra die poeliesman.

Yes, but please come in, Constable Abé, sê Miesies Jones. Ja, sê sy, fast asleep. Tell me, for what do you want my Victor?

The raping of Ethel Boonzaaier, I think that is the name.

Ja! antwoord Piet Visasie, nou amper nugter. Ethel Boonzaaier, deds de name.

I am very sorry, Constable Abé, sê Miesies Jones. My Vicky was never out of the house tonight. There he is in his room, fast asleep. En, sê sy, ons ken geen persoon met die naam Ethel Boonzaaier nie. Did you say Ethel Boonzaaier?

Yes, Miesies Jones, sê die poeliesman.

Dit is twee-uur in die oggend en my prokureur se kantoor open nege-uur. Ek sal eers Mister Miles kontak. Ken jy vir Mister Miles, die prokureur? My friend, you know.

Ja, sê die poeliesman net. Hy draai om na die mense wat daar staan, haal sy sakboek uit die bosak van sy baaitjie. Wie van julle het die verkragting gesien?

Stilte.

Praat! sê die poeliesman. Nou ja, sê hy, ek kan nie 'n mens arresteer sonder getuies nie, en hy sit die sakboek terug in sy sak. Goodnight, Miesies Jones.

Hy klim op sy fiets en ry weg.

Die Broadway-mense loop weg sonder om 'n woord te sê.

Piet Visasie klim op sy fiets, en kyk agtertoe. Ek kan nie sê ek het iets gesien wat ek nie gesien het nie, sê hy.

In Oom Boonzaaier se huis sit Ethel op 'n stoel en sy hou 'n nat lap op haar voorkop. Sy snik nou net, sy kan nie meer huil nie. Ethel het haar gewas net soos Ouma Drieka haar vertel het.

Kind, sê Ouma Drieka, dit is jammer dat al die mense hiervan weet. Maar hulle sal dit vergeet, net jy sal dit nooit oorleef nie. 'n Geskroeide hart is op pad na verandering en as 'n mens die Here gevind het, is die duiwel baie belustig. Die maan sal nie vannag sak nie, dit is volmaan se skyn. Dan is jou kamer nie so donker nie. Sit die deur se knip op. Ek gaan nou loop, sê Ouma Drieka.

RICHARD KOM MET VIS

Die son het al warm geword, Richard loop met twee geelvisse en die visstok in die een hand en twee barbers wat amper op die grond hang, in die ander. Hy loop verby sy losiesmense se huis. En sê vir homself: Ek sal vir Ethel die eerste keuse laat kry.

Maar in sy loop deur Broadway, sien hy die mense kyk hom so snaaks aan. Hy groet, maar party laat sak net hulle koppe. Snaaks, dink hy, die mense is mos vis en barber gewoond.

Piet Visasie ry hom verby op sy fiets.

Môre, groet Richard.

Piet draai om, sy een voet op die grond. Waar was jy laasnag gewees? vra Piet sonder om te groet.

Ek het visgevang by die pan, kan jy dan nie sien nie? sê Richard. Sonder om te praat, skud Piet net sy kop en ry aan.

Hy kan nie so vroeg dronk is nie, dink Richard, en sê dit hardop vir homself. Hy noem my altyd Meester. Nou het hy my nie eens gegroet nie.

Richard staan voor Oom Boonzaaier se kamer. Die deur is toe.

Ag, sê hy, Ethel is seker al werk toe. Maar voordat hy omdraai om te loop, sê hy: Ethel, is jy daar?

Rie-shit, hoor hy 'n stem sê, asof die mens siek is. Hy ken nie vir Ethel met daai stem nie. Hy hoor die deurknip word afgehaal, die deur gaan oop.

Daar staan Ethel, hy ken haar nie so nie. 'n Knop op haar voorkop, met 'n oog wat blou word. Sy staan daar en kyk soos iemand wat nie kan sien nie. Richard maak sy hande oop en alles val op die grond – visstok, geelvisse en barbers. Hy spring die kamer binne en omhels vir Ethel: Wat het gebeur? vra hy. Is daar mense wat jou wil seer maak, sê vir my, sê vir my, soebat hy en skud haar.

Ethel is spraakloos en uitgehuil. Sy snik net en haar mond gaan oop, maar daar is nie woorde wat uitkom nie. Richard vat haar hand en hulle sit op die twee stoele – wat Ethel altyd sê: my stoel en Pa se stoel. So sit hulle, Richard weet nie hoe lank nie. Hy was honger en vol vreugde die oggend, nou het dit hom verlaat.

Ouma Drieka stap die kamer binne.

Ouma, sê Richard, sê my tog wat het hier gebeur, Ouma? en hy wys met sy vinger na Ethel.

Ethel was in iets wat nie tyd het nie, sê Ouma Drieka. Dit gebeur so vinnig. Mens kan dit nie padgee nie. Dit word genoem 'n ongeluk. Dit kan jou lewe vermors en verwoes in 'n oogknip. Die mens sal nooit weer dieselfde mens wees nie, tensy die mens die Liefde van God aanvaar het.

Toe sê Ouma Drieka vir Richard alles van top to bottom wat gebeur het – soos ons altyd in Broadway gesê het.

Richard kyk na Ethel soos 'n ma 'n stout kind kyk. Ek het jou al so baie gesê, blameer hy, om die knipskuif aan te sit as jy die deur toemaak en gaan slaap.

Ek is jammer, Rie-shit, antwoord Ethel vol verdriet, en ek het baie duur betaal. Sy skud haar kop.

Ouma Drieka het iets vir Ethel gebring om te eet. Sy sê toe: Eet eers die roosterkoek, dan drink jy die rooilaventel. En jy, Meester, sorg dat sy dit doen. Die boom is nog te jonk om dit nou af te kap.

Toe sy loop, kyk sy na die vloer en sê: Baie mense sal dit vergeet, min sal dit later onthou. Maar jy, my kind, sal dit nooit oorleef nie. Daar is niks meer om by te voeg nie en sy stap die kamer uit.

Soggens voordat die les begin, en na die V-yster geslaan is, begin die skool met "Our Father Which art in Heaven" en alles word in Engels gesê – of ons dit verstaan of nie.

Daar was twee groepe kinders op skool: dié wat by die All Saints Church gaan en wie se huistaal Engels was – hulle was beter af as ons in voeding en skooldrag, en dié wat Afrikaans praat en by die Sendingkerk diens bygewoon het. Teacher du Toit en Teacher Doollie voor Teacher Richard het hulle, die Engelsprataters, ge-favour, soos ons gesê het. Die Reverend Compton het hulle by hul name geken en hulle gegroet wanneer hy by ons verbystap. Baiekeer het ons hom hoor praat van "the others, the ones who are nearly Boers", as hy met Teacher du Toit praat. Hy het ons verstoot en ons het hom vir 'n mens gevat. Sommer net vir 'n mens – a man of God was te veel vir ons kindergedagtes.

Nadat die klok op die V geslaan is vir huistoegaan dié dag, sê Teacher Richard: Die Sendingkerk se kinders bly sit. Die ander kan huis toe gaan. Dit was die Maandag na hy die visse wat hy so bly oor was, in die sand laat val het en niemand weet eers wie dit gevat het nie.

Kinders, sê Teacher Richard die Maandagmiddag, julle is my soort en ons gaan van nou af elke namiddag na die klok geslaan is, Onse Vader opdra. Ek glo nie die Reverend Compton sal daarteen wees nie.

Ons Sendingkerkkinders het die gebed na skool geniet, omdat Teacher Richard altyd iets mooi gesê het, iets wat ons kon verstaan, as hy dit in ons huistaal verduidelik. God is Liefde, het hy gesê. Liefde wat ons nie ken nie. Dan weer Liefde wat ons ken. Wat mooi is, wat nie seer maak nie. Alles wat gedeel kan word – mooi woorde, lekker lag – kom ons toe in die Liefde van God, het hy gesê.

Dan praat hy weer oor hoe ons die Liefde van God kan geniet. Dis wanneer ons nie gedagte gee aan wat seer maak nie – ook nie in woorde nie. Vergeefnis, so sê hy, is baie na aan God, dit is baie na aan Liefde. Maar onthou en moet dit nooit vergeet nie, kinders, het Teacher Richard gesê, as ander seer kry, kan ons wat vir hulle voel, ook seer hê. Daai liefde maak seer ook.

In sy hart het Richard gedink: Die gebed sê ek en die kinders net vir Ethel. Dit is bedoel vir Ethel, dink hy elke keer voordat hy begin met die Onse Vader. So sonder dat hy dit besef, word sy gevoelens sterker vir Ethel. Haar seerkry is my seerkry, ons deel dit nie, dit is vir ons altwee, fluister hy saggies.

Dan kom die gedagte: Sal ons ooit soggens wakker skrik en mekaar in die oë kyk – soos man en vrou? Ek weet nie, daar is my ma, drie susters en Stefaans, die jongste, wat ek nou moet onderhou. Ek weet nie, fluister hy weer. Ag! ek sal alles in die Here se hande laat. En die Onse Vader is vir Ethel.

DIE FORTUINVERTELLER

Maar die gedagte om te weet of hy en Ethel man en vrou sal wees, wil hom nie los nie.

Richard stap die klaskamer uit en die gedagte klim sy kop in: Ja, dink hy, ek gaan sommer nou na Antie Montie toe – dit kan mos nie skade doen nie. Sommer vir die sports.

Antie Montie sit op haar stoep. En soos dit haar gewoonte is, een keer 'n jaar laat sy haar huis se buitemure kalk. White-wash, het ons dit genoem. Nou kyk Antie Montie hoe die manne werk.

Dit is mos die skoolmeester, sê sy. Hy loop mos nie hierdie paaitjie nie.

Richard kom nader. Sy staan van haar stoel af, en rus haar elmboë op haar stoep se relings. Ek wil hom graag groet, dink sy.

Hy gee sy hand. Middag, Tante, sê hy.

Middag, Meester, groet Antie Montie.

Tante ken my nie eintlik nie, sê Richard.

Jy sal verbaas wees, sê Antie Montie, ek ken jou beter as wat jy dink.

Kan ek inkom, Tante? Ek wil graag hê Tante moet vir my kyk.

Nou, Antie Montie Verheen, so het hulle in Broadwaystraat gesê, was 'n fortuneteller. En dit was haar gewoonte om haar klante te antwoord met: Dit sal 'n sjieling wees.

Hulle gaan sit om 'n klein ronde tafel met twee stoele. Die swart gordyn van die venster is toegetrek. Oor die tafel hang 'n swaar groen tafeldoek en in die middel van die tafel staan 'n kersblaker met 'n halfgebrande kers daarin.

Richard sit 'n sjieling op die tafel neer.

Goed! sê Antie Montie Verheen. Haar stem is nou anders, soos iemand wat praat met 'n toe mond, en sy steek die kers aan.

Sy kyk in die kerslig. Maar dié een ken ek mos, sê sy, asof sy iemand in die kerslig sien. Dit is mos ou Solomon Boonzaaier!

Richard se agterkophare staan regop, sy nek kry hoendervleis. Waar het ek my nou ingedruk? dink hy met spyt.

Tant Jonathan het hom al vertel dat Montie Verheen geeste oproep uit die dood op. Sy praat glo met hulle in die kerslig en hulle antwoord vir haar wat sy of haar klant wil weet. Gaan na haar, Richard, het Tant Jonathan hom aangemoedig. Dit is werd die sjieling en 'n gouer antwoord as 'n gebed.

Solomon, sê sy weer, wat kan jy vir die skoolmeester sê? Sy kyk in die kerslig vas. Sê weer, Solomon, sê Antie Montie. Sy kyk nou na Richard. Ethel se pa, ou Solomon Boonzaaier, sê jy gaan sy skoonseun word, maar daar is nog baie droefheid wat voorlê vir sy kind. Sy kyk weer in die kers. Dankie, Solomon, sê sy.

Sy wil die lig uitdruk maar voordat sy die vlam kan vat, sê sy skierlik: Nou wie is dié? Ek ken jou mos nie. En sy kyk weer.

Dit is 'n baie lang man, sê sy vir Richard, en hy dra 'n band om sy liggaam en ook kruisbande. Daar is 'n puntbaard op sy ken en 'n pyp in sy mond.

Dit kan net Pa wees, sê Richard, toe hy sy oë toemaak om nie in die kerslig te kyk nie.

Hy sê hy is Gert Louis van Wyk.

Dit is net Pa, dink Richard, dit is net hy wat altyd so trots is om sy middelnaam te sê.

Jou pa sê, Meester, jy gaan vir daai vroumens saam huis toe neem, sê Antie Montie.

Richard staan op. Genoeg, sê hy.

Hy loop uit die kamer en kyk om of sy pa nie saam met hom kom nie. Sjoe! sug hy asof hy lank onder water gewees het. Hy hoor nie vir Antie Montie agter hom kom nie. Sy staan agter hom. Hy voel haar wese en spring weg. Hy kyk om en altwee skaterlag saam.

Dankie, Tante, bedank Richard.

Goed, Meester, antwoord sy.

In sy loop sê hy vir homself: Nou wat het ek nou aangevang? Nooit weer nie, sê hy vir homself. Ek laat alles in die hande van die Here. Hoe gouer ek die ding vergeet, hoe beter vir my. En vergeet het hy.

Ethel kyk weer vooruit na die geselskap van Richard elke Woensdagnamiddag – haar dag af, soos sy dit noem.

Vandag het hy sommer ingestap en gegroet met daai hand wat hy vat en 'n paar sagte drukkies gee. Sonder dié gevoelentjie sal ek hom nie ken nie, dink Ethel.

Hy sit met sy een been oor sy ander been. Dis nog 'n gewoonte van hom.

Rie-shit, sê Ethel, ek wil jou 'n guns vra.

Praat maar, Ethel, antwoord Richard.

Ek vra, sal Rie-shit vir my af en toe 'n paar inkopies gaan doen?

Ja, sê hy, dan stap ons sommer saam.

Ethel bloos en bly stil.

Hy gesels verder: Dit sal nogal lekker wees om jou boytjie te wees, spot hy.

Maar Ethel lag nie. Sy antwoord sag: Ek wil nie in 'n winkel staan nie, want die mense kyk my met so 'n snaakse, vreemde gevoelentheid aan, ek kan dit voel.

Ethel, sê Richard, 'n mens moet nooit bang wees vir die gemeente waarin jy jou bevind nie. Sê net vir jouself: Ag! Hulle is nie beter as ek nie. Ek sal vir Ethel inkopies gaan doen, maar net die een keer. Jy moet jouself herstel, 'n ander kan dit nie doen nie.

Toe hy weg is, dink Ethel aan wat die week tevore gebeur het toe sy in die winkel staan om suiker te koop. Daai tyd kom die mense van die werk af, en die winkel is vol mense. Sy hoor 'n man agter haar sê asof sy dit nie moet hoor nie: Sy het mos die ding gedoen. Sy kyk toe om en sien hoe hy met sy duim tussen sy vingers wys.

Ja, ek weet, sê die man langsaan hom. Gelukkig kyk hulle anderkant toe, en weet nie dat Ethel sien dat hy met sy duim en vingers wys nie. Sy word so skaam, want sy weet dis vir haar bedoel en sy stap die winkel uit.

Terug in haar kamer het sy op haar knieë gegaan: Here, Here my Here, ek vra vergifnis, alhoewel ek nie weet wat ek verkeerd in u oë gedoen het nie. Asseblief, my Vader, moet ek skaamheid dan altyd aanvaar as die sweep wat my moet slaan? Here, Here, bid sy. En so het sy – op haar knieë – gebid, gehuil en aan die slaap geraak.

Hier is jou inkopies, sê Richard die volgende Woensdagnamiddag en sit die bruin kardoes op die tafel neer.

Dankie, sê Ethel en vee haar hande af aan haar voorskoot. Hulle is nie vuil nie. Dis net om die lekkergeid van sy hand met die vryfie beter te geniet.

Dors? vra sy toe Richard gaan sit op die Pa-stoel.

Ja, sê Richard, net water, dankie.

Ethel gee hom 'n glas water op 'n pierinkie. Hoe gaan dit by die skool, Rie-shit? vra sy.

Ethel, sê hy, skoolhou is so – die kinders moet hoor wat die onderwysers onderrig en hulle moet dit onthou. Dan weer hoor die onderwysers wat die kinders klets sonder dat die kinders daarvan weet.

Ja, sê Ethel, dit is waarom Rie-shit al die mense se nuus ken.

Sonder dat hulle dit weet, sê hy. Daai nuwe inkommers se seun, Frans Keely, ek hoor hy steel sy pa se pyp en tabak as sy pa slaap, en rook dit om die draai. Die kinders is net soos hul ouers, sê Richard. Hulle begin altyd met: Het julle gehoor?

En dan is dit die tyd wanneer Rie-shit sy ore oophou, terg Ethel.

Ja, die Frans Keely, so sê die kinders, knyp die kat in die donker. Maar Frans hoor hulle sê so, en toe lag daai banggat klein meisiekind, Lisa, wat eintlik een van die slim kinders is, boonop.

Frans het glo eers voor haar gestaan en haar op en af gekyk. Die kinders sê Frans het haar bang gekyk. Toe sê hy vir haar: Gaan kak, ek sê, gaan kak, man. Hy sê dit so dat hy die vrees in haar sit. En sy gaan aan huil en sy huil, en sy kan nie ophou huil nie. Ek hoor haar huil en gaan toe na die peperboom, waar die kinders speeltyd sit.

Ja, sê Ethel, ek ken daai boom – dit was lekker tye daai, toe Pa nog gelewe het, sê sy saggies agterna.

Richard vertel verder: Ek dink toe sy het seker seer gekry, of dis tandpyn. Sy hou aan met huil. Ek vra die kinders wat het gebeur, waarom huil sy?

Teacher Rie-shit, antwoord 'n kind, Frans Kielie het haar baie lelik beledig.

Frans Keely staan toe by die boom waar die V-klok hang en wag vir my om by die klaskamer se deur te staan en my hand op te tel, wat bedoel: Slaan die klok. Ek stap toe na hom toe, want hy het alleen gestaan en ek wou nie hê die ander kinders moet hoor nie. Frans, vermaan ek, ek en jy praat dieselfde taal en ons, ek en jy, respekteer onse vroumense. Gaan apologaais, gaan vra om verskoning, seun.

Hy gaan toe, ek saam met hom. Lisa huil nog steeds. Frans veevryf haar rug asof daar stof op haar rug is.

Lisa, Lisa, fluister hy, jy moet nie meer gaan kak nie, hoor.

En toe, wat het gebeur? vra Ethel.

Sy hou op huil, sê Richard. Net so, klap hy sy vingers. En die volgende oggend lag Lisa die hardste van al die kinders en sy is groot maats met ou Frans. Dit wys jou net, Ethel, sê Richard, hoe die dae verander. Daar is dae van huil en dae vir lag. Maar met dagbreek weet ons nie wat voorlê nie.

Dit is so, Rie-shit, sê Ethel. En sy sug saggies.

En Richard dink: Dis nou al lank dat Ethel so min lag. En daar is kringe onder haar oë, sien hy.

DIE VERANDERING

Ethel kom van haar werk af laat een namiddag. Ek voel so snaaks, sê sy vir haarself. My hele liggaam voel asof dit verander het. Wat 'n nare gevoel. Dan dié dat my voete so groot voel, vir wat, wonder ek. Half of hulle swel. Ouma Drieka sal seker iets het vir die wat ek so opgooi elke oggend. Ek gaan haar nou vra. En sy skud haar kop asof sy nie wil dink nie.

Sy draai sommer uit die pad, af in die paaitjie wat na Ouma Drieka se peperboom lei. Net die regte tyd, dink Ethel. Daar sit die ouvrou.

Goeiemiddag, Ouma Drieka, groet Ethel.

Marrag, my kind, kom sit by my, nooi Ouma Drieka.

Ethel gaan sit langsaan haar. Ouma Drieka haal haar doek af en skud dit uit asof dit vol stof is. Ethel is gewoond daaraan.

Wat kom jy so met leë hande? terg Ouma Drieka.

Ek het sommer net geloop sonder om te dink ek gaan vir Ouma kom kuier, lag Ethel.

Dis lank stil.

Die een wag vir die ander om eerste te praat.

Toe sê Ouma Drieka: Nou sê my, kind, wat bring jou hier? en sy maak asof sy nie sien dat daar iets met Ethel verkeerd is nie.

Ethel vertel toe van haar liggaam wat so snaaks voel, die voete wat swel en daai nare opgooi elke oggend.

Ouma Drieka sê: Ek het nie geweet dat jy 'n blerrie fool is nie, Ethel, is jy dan so dom? En sy kyk vir Ethel vas in haar gesig. Dit was volmaan gewees en dis seker oor 'n week of so weer volmaan. Die ouvrou tel op haar vingers: Een, twee, drie, op pad na vier. Jy is nou al 'n ent meer as drie maande ongesond. Jy gaan 'n baba kry, dis wat dit is. Sê my, vra Ouma Drieka, jou maandlikse – kry jy dit nog?

Nee, Ouma.

Vir hoe lank? vra Ouma.

Ethel tel ook: Een, twee, dit is al oor die drie maande, Ouma, sê Ethel.

Die ouvrou sit, elmboë op haar knieë, haar hande se palms op haar voorkop. Haar oë is toe, sy dink. Sy maak haar oë oop en sê: Nou is jy in 'n gemors van 'n gemors. Dit is die slegste van 'n pa wat 'n meisiekind moet alleen grootmaak. Daar was nie 'n vroumens om jou te sê van die gevare wat 'n vrou in kan beland nie. Die bietjie wat jy weet, het jy opgetel by jou maters. Ek blameer jou nie, jy is jou pa se goeie dogtertjie. Verstaan jy wat ek vertel het, Ethel?

Ja, Ouma, en sy begin te huil.

Ouma Drieka weet in so 'n geval moet sy laat die mens haar uithuil.

In haar huil sê Ethel: Ek is nie dom nie, Ouma, ek ken al daai goed. Ek het net gewens dit kan nie ek wees nie, en ek het dit geglo.

Wens in die een hand, kak in die ander hand, en voel watter een is die swaarste, skel Ouma Drieka ontsteld. Sy sit haar arm op Ethel se rug. Huil, my kind, huil maar, dit sal nie help nie, nog minder sal dit jou troos. Of die tyd terugstoot. Maar huil maar.

Na 'n stilte sê Ouma Drieka: En daai skoolmeester wat so baie by jou kuier – wat sê hy?

Ethel vee haar trane af met haar rok se punt, 'n arm meisie se gewoonte. Rie-shit, antwoord sy treurig. Rie-shit praat net wat mooi is. En ons lag ook baie saam.

Sê my, vra Ouma Drieka, het hy dan nog nie sy hand op jou boud gesit nie?

Nee, Ouma, nie Rie-shit nie. En haar gesig helder op.

Dan is hy 'n siek man, of 'n baie ordentlike mens, sê Ouma Drieka.

As ons saam sit, Ouma, bely Ethel, dan word dit warm. Nie die warmte wat 'n vuur afgee nie, die warmte van onse saamwees, en dis soos iets wat ons toemaak, Ouma.

Jy gee mooi woorde, my kind, miskien is jy gelukkig. Dan weer weet ek nie, sê Ouma Drieka sedig.

Hulle sit in stilte. Toe kom daar iets oor Ethel wat haar gedagte en oë oopmaak. Ouma, Ouma, my Ouma Drieka, wat het ek dan gesondig?

Ouma Drieka kyk haar 'n binne-oogkyk – soos ons in Broadway gepraat het. Gesondig het jy, my kind, miskien nie in die lewe nie, maar gesondig het jy. Eers die sonde, dan die terugbetaling. Die domanie roep dit die sonde van ons voorouers uit die Bybel. Dis wat my voorouer in die Dorsland my gesê het. Toe ek jou ouderdom gewees het.

Ouma Drieka sug. Gaan nou, sê sy vir Ethel. En sit jou voete in 'n skottel water en gooi vier groot lepels sout daarin.

Ek sal en ghoebaai, Ouma, groet Ethel. Toe sy wegloop, dink sy: Ja, Ouma Drieka is mos 'n voedvrou, sy weet nog al die dinge. En seker baie wat ander voedvrouens nie weet nie.

ETHEL SE GESKENK VAN CYRIL DUNCAN

Ethel het al hoe meer opmerkings gehoor. Die mense het orals begin praat: Ethel Boonzaaier is in die ander tyd.

Mense wat haar verbyloop, kyk haar terug en sê: Haai, en sy was altyd so 'n mooie kind. Kyk hoe opgesit is haar gesig nou.

Dit is weer Woensdagnamiddag. Ethel en Richard sit op die twee stoele. Ethel verbruik haar doek om haar trane af te vee. Sy sit met haar hand op die nat doek. En sy vertel alles vir Richard.

Gister het haar mêdam – Missus Phyllis Duncan – haar die vuilste kyk gegee wat sy nog ooit in haar lewe gekry het. Haar gekyk net soos 'n mens 'n hond kyk wat jou net gebyt het. You bitch, het sy geskel, you are a bad influence on my Cyril. There, het sy hatig gesê, en 'n pondnoot op 'n stoel gegooi. Take it and get out!

Ethel weet nie hoe sy by die kamer gekom het nie. En vanmôre kon sy nie die pondnoot kry nie.

Ek het dit seker verloor, sê sy vir Richard. Want ek het orals gesoek.

Rie-shit, sê sy, ek sit nou sonder werk, ek is weggejaag soos 'n hond, en die geld het ek ook verloor. Net soos ek myself weggegooi het.

Moet nie so praat nie, Ethel, jy kan nie daarvoor nie. Vir my is jy nog net Ethel – wat 'n mooi naam, dit meen edelheid, het ek gelees.

So ondersteun hy haar.

As ek net gedoen het wat jy my gevra het, Rie-shit, peins sy verdrietig. En sy vee haar wange skoon.

Wat gedoen het? vra Richard.

Die knipskuif aangesit het en die deur toegemaak het, huil Ethel weer van nuuts af.

Maar toe hoor hulle iemand buite roep: Etell! Etell!

Dis mos Cyril se stem, sê Ethel en spring op.

Daar staan Cyril voor die deur. Al is hy swak in die kop, weet hy hy's 'n witmens en 'n witmens gaan nie in 'n bediende se kamer in nie.

Cyril staan met trane wat droog geword het op sy wange, verlore en kyk na Ethel in die deur. Die woorde wil nie uitkom nie, asof hy kort van asem is.

Hy gee haar 'n pakkie, maar kyk op sy skoene. Toe kom dit: Thank you, Etell, sê hy vurig en loop sleepvoet weg.

Ethel sê nog: Loop reguit huis toe, Cyril. Moet nie speel langs die pad nie, hoor! En sy gaan staan in die straat om eers te kyk of Cyril die regte afdraai vat.

Toe sê sy vir Richard: Maak oop, Rie-shit.

In die pakkie is daar 'n Roomse rosary. Maak weer toe, sê Ethel ernstig, dit is syne. Dit is seker al wat hy regtig weet wat aan hom behoort.

En hy, die arme mankind, kom gee dit vir jou, sê Richard.

Ja, antwoord Ethel, na sy ma en pa duisende ponde gespandeer het op dokters – wit, swart en doekoms ingesluit. Nadat hulle haar goed gemelk het, het sy na die kerk toe gevlug. En na 'n goeie donasie, het die Kerkvader vir haar die rosary gegee. Hy het glo gesê sy moet dit probeer – die rosary vir Cyril gee laat hy self vir Moeder Maria vra. So het Missus Duncan vertel. Cyril is nie vol mens nie, sê Ethel, maar sy hart is skoon, net soos 'n kind wat nog tet houvas.

Liefde, sê Richard, is 'n diepe gevoel in die mens met 'n skoon gedagte – en dit maak op vir die tekortkoming van die harsings. Hulle soort maak nie seer nie. Die mensdom maak hulle seer. In elke een van ons is daar iets wat nie daar is nie, Ethel.

Richard staan op. Hy neem haar hand, tel dit op en soen dit. Ethel voel 'n traan op haar hand val. Hy draai om sonder dat sy sy gesig sien, en loop die kamer uit.

Ethel wil opstaan en hom vang en vashou sodat hy by haar moet bly, maar haar bene voel lam. Rie-shit, sê sy teer, is dié jou traan? Dit lyk dan net soos my trane. Is trane dan almal dieselfde en is die oog die kraan van die hart?

Gedagteloos bly sit sy op die stoel en so raak sy aan die slaap.

Sy skrik wakker. Pa, sê sy, Pappa. Toe herleef sy die droom wat sy gehad het. Pa se plooie is so mooi, dink sy, die twee op die wange is dieper gesny as die ander. Etheltjie, het hy in die droom gesê, jou droefheid word minder. Daar lê groot vreugde voor, dit is net tyd wat tussenin loop.

Dankie, my Pappa, sê sy. Daar is 'n groot verligting, dit voel asof 'n gewig van haar skouers afgeval het. Toe dit oggend word, klim sy in die bed en slaap tot die skool se huistoegaan-klok die middag lui.

DIE VERLOSSING

Ouma Drieka staan voor Ethel se kamerdeur. Sy kan nie klop nie, haar hande is vol. Ethel, Ethel! roep sy. Is jy hier?

Ek maak oop, Ouma, antwoord Ethel toe sy van die bed afklim.

Vat so! sê Ouma Drieka en sy gee vir Ethel 'n roosterkoek met 'n stuk sult daarin. En sit 'n beker warm spek-en-groentesop op die tafel. Eet, sê Ouma, maak skoon, ek kom weer later.

Die nag tevore het Ouma Drieka wakker gelê in haar bed. Sy het wakker geskrik met Ethel op haar gedagte. Sy dink toe die jare terug – toe sy voedvrou was by Ethel se geboorte – en aan wat 'n groot bek sy opgesit het toe sy haar eerste geestelike asem inneem. Haar pa was 'n oujongkêrel wat laat in sy lewe getrou het. My getroude vrou, het hy mos altyd van Sofie, sy vrou, gesê. Sy was 'n baie swart mens. Die soort wat nie meer swarter kan word nie, dan blink hulle.

Ethel het haar pa se kleur, lê Ouma Drieka en dink, 'n ligbruin vel. Sofie het glo by Boermense grootgeword. Haar praat, maniere, geaardheid – kompleet Boermens. En as jy haar nie geken het of gesien het nie, het jy gedink dit is 'n miesies wat daar praat. Ethel kon al loop, toe Sofie die wêreld skierlik verlaat het. En so het ou Solomon alleen vir Ethel grootgemaak.

Ek moet vir Ethel help, dink sy voordat sy aan die slaap raak.

Ethel is nog besig om voor haar kamerdeur te vee met die grasbesem toe sy Ouma Drieka sien aankom. O, Ouma, sê sy, Ouma is al hier!

Hulle gaan binne en gaan sit op die twee stoele. Ouma dink wat sy wil sê. 'n Erkenning van wysheid.

Maar daar's nie woorde nie.

Skierlik begin Ethel huil. Ek kies liewer die dood, my Ouma. Ek kan nie langer so aanhou nie, sê sy. Ek dink, dink, en dink. Ek bid, bid, bid. Nou weet ek, die dood sal my enigste verlossing wees. Die beste medisyne. Dan droom ek nie meer van Pappa nie. Ons sal saam lewe in die land van drome – waar dit ook al mag wees.

Ouma Drieka sê niks. Ouma Drieka dink: Noudat sy dik geëet is, wil sy doodgaan. 'n Honger mens wil nie doodgaan nie.

Dan is ek weer saam met Pappa, huil Ethel droewig.

Ethel, nee my kind, vermaan Ouma Drieka, die Here ken elke een van ons en ons maat van lyding. Hy is genadig, onthou dit, en jy sal nie meer as die prys wat jou toekom, betaal nie. Of meer as wat jy kan gee nie.

Ouma Drieka sit nog op die stoel. Ethel is op haar knieë, met haar kop op Ouma Drieka se skoot. Ouma Drieka het haar twee hande op Ethel se kop. Ethel lê sonder genade, sy kan nie meer dink, bid of hoop nie. Ethel ween uit haar siel en dit dring deur tot in die diepste van Ouma Drieka se wese.

Ouma Drieka dink: 'n Meisie in dieselfde toestand – maar wie se ouers welaf is – sal weet wat goed is vir hul dogter. En haar probeer bystaan. Die vruggie is mos nie 'n siel nie, hy het nog nie sy geestelike asem nie. En dit sal 'n geheim bly.

Nou waar is daar 'n moeder, so dink Ouma Drieka, wat 'n onaanvaarbare kind wil dra? Die lyding deurgaan, dan hoor haar eie mense sê hy is 'n hoerkind. En dan die kind dra in armoedigheid, sonder familie, sonder kos . . .

Here, bid Ouma Drieka, dankie dat U my gestuur het. Vrugte wat sleg aan die boom word, val af. Die goeie bly aan en word ryp. Die een word geniet en die ander word in die aarde getrap. Dit is die wet van die aarde, dink Ouma Drieka.

Sy slaan Ethel se kop saggies met haar hand. Kom, kind, sê sy, staan op, kom klim in die bed.

Ethel klim op die bed.

Slaap, sê Ouma Drieka en gooi haar toe met 'n kombers. Ek kom weer later, my kind.

In haar loop op die paaitjie, sê die ouma saggies: In dié stadium van die vroumens se looptyd gee die mans – hulle wat die saadplanters is – nie meer om vir die vrou wat hulle geniet het nie. Net so kan daai selde lyf weer 'n tyd kry om 'n kind met liefde te dra. Ek moet haar help, sê Ouma Drieka hardop.

Asof sy dit self wil hoor.

RICHARD SE TROOS

Richard is bekommerd. Hy kan die verandering en verdriet van Ethel nie uit sy gedagtes kry nie. Ethel is onskuldig, waarom moet sy so ly? En dan gebeur dit alles voor my oë, dink hy.

Teacher Richard het slaaplose nagte. Al verlossing wat hy kry, is in die Onse Vader saam met die kinders. Dan dink hy: Ethel staan saam met hom voor die klas se kinders. Ons kinders voel die angs en liefde van sy medegevoel in die manier waarop hy met ons praat.

As ons die Onse Vader opsê, sê Teacher Richard, moet die woorde uitstraal uit ons harte. Dit is die woning van die liefde en ook die woning van hartseer. Ons dra die goed en sleg in elke hand van ons. Watter hand ons gee, hang van onsself af. Ons moet dink voordat ons die hand uitsteek om te gee. So het Teacher Richard gesê.

Na die amen loop ons kinders. Teacher Richard bly staan. Dan kom hy agter ons aan, alleen, sy kop gesak na die grond.

DIE GEHEIM

Ouma Drieka sit onder die boom en praat met haarself.

Ouma Drieka sê saggies: Om 'n kind in die wêreld te bring wat voor sy geboorte al verdoem is, en dit sonder liefde. Nee! Ethel se droefheid sal sy nie langer kan dra nie. Beter dat die een gaan as om altwee te verloor.

Die saad is geplant maar nog nie gebore nie. Dit het nog nie die Heilige Asem van God ingeneem nie. So dit kan nie 'n lewende siel wees nie, redeneer sy met haarself. Ethel, Sol Boonzaaier se gehoorsame dogter, waarom moet ek sien hoe ly jy – en ek staan by en kyk?

Het die Here die mensdom dan nie eie keuse gegee nie? Moet die kind dan met haat die wêreld inkom?

Nee, skud Ouma Drieka haar kop. God is Liefde.

En so oortuig sy haarself.

Daar is mos die geheim wat my ma se suster, Grootsus Kieriebek, aan my gegee het, sê Ouma Drieka vir haarself. Een van die min van my voorste voorouers wat ek geken het. Ek onthou haar woorde nog baie goed. Drieka, verbruik die drank net daar waar die saad sonder liefde geplant is, het sy gesê in haar taal wat nou vergeet is. As jy betaling neem, sal jy jouself verongeluk. In onse mense se maniere is dit 'n geheim wat moet bewaar word. En dit word net aan 'n jong vroumens gegee, wat se groot ore ons sê sy sal baie jare sien.

Neem 'n stuk bitterbos, 'n stuk swartstorm, en onthou, dié met die goudgeel blommetjie, het Grootsus Kieriebek gesê. Dit is belangrik, anders sit jy met die kind én die moeder wat moet begrawe word. Dan ook die penwortel van duiwelspootkruie. Sê my, het die ouvrou gesê, wat ek gesê het. En toe ek antwoord, sê Grootsus Kieriebek: Nou vir die tweede deel.

Sit alles in 'n kalbas – of die ding wat julle nou noem 'n beker – met water in die son. Onthou van sonop tot sonsak, daar waar die skaduwee nie kom nie. Laat die son se trekkrag die een medisyne in die ander knie. Sonsak sit jy die kalbas of beker weer daar waar die maan se vroulike trekkrag daarin spuug.

En toe het die ouvrou vir my gesê: Jy kan dit onthou of vergeet. Vir my maak dit nie saak nie. Ek het klaar gepraat, Drieka my kind.

Ja, en toe het ek gesê: Ek ken die kruie, Grootsus, het ek gesê.

Ja, het die ouvrou gesê: Die een is meer bitter as die ander en die ander is meer bitter as die twee saam. Die drie bymekaar is so bitter soos twee stukke gal. Een klein mondvol is genoeg.

Haai, sê Ouma Drieka, dit voel asof Grootsus Kieriebek hier by my gestaan het. Ek kan nog elke woord onthou wat sy doerie tyd gesê het.

Vroeg in die oggend is Ouma Drieka by Ethel se kamer. Dit neem 'n tydjie voordat Ethel die deur oopmaak.

Kyk hoe lyk die kind, die oë opgeswel van huil, en die gesig so opgesit. Wonder of haar niere ooit ordentlik werk, dink Ouma Drieka bekommerd.

Toe sê sy: Spoel eers jou mond skoon met water. Gee my nou 'n lepel, dan drink jy dié. Dit is baie bitter. Drink, dit is goed vir jou, my kind.

Sy sit die brousel in Ethel se mond.

Sluk dit af, jy mag niks agterna drink nie, sê sy vir Ethel.

Ethel trek 'n gesig. Aau, Ouma! kla Ethel.

Probeer weer slaap, Ethel. Ek sal voor sonsak jou kom sien, troos Ouma Drieka.

Die son begin water trek, soos dit in Broadway gepraat is. Ethel sit op haar stoel, met haar arms styf om haar lyf. Die deur is oop.

Jy sit weer met 'n oop deur, vermaan Ouma Drieka toe sy aankom.

Ouma, antwoord Ethel, ag, hulle kan maar hierdie liggaam kom vernietig. Ek is niks, dan is ek heeltemal niks nie.

Hoe voel jy?

Net verskriklik naar, Ouma, antwoord Ethel. Net sommer na doodgaan. En die krampe wat soos messe sny.

Ja, sê Ouma Drieka. Ek bly by jou, Ethel, dit sal nie meer lank wees nie. En sy vee die sweet van Ethel se gesig af.

DIE BEGRAFNIS

Die aand is al die grootvrouens van Broadway by Oom Sol Boonzaaier se kamer.

Woord het gou rondgegaan dat die kind doodgebore is.

Nou sit daai Victor Jones dik gevreet, met alles volop, en hier lê Ethel verwaarloos, traanloos. Sy het haar uitgehuil, het 'n grootvrou opgemerk.

Ja, dis altyd die vrou wat met al die ellende sit, sê 'n ander ouma.

Die oggend daarna was Teacher Richard nie op skool nie. Hy het 'n briefie aan Teacher du Toit geskryf. Daarin gevra vir die groot seuns om so gou as moontlik na sy losieshuis te kom. Hulle moet vrywillig kom.

By sy losieshuis vertel hy toe vir ons ons gaan 'n graf grou. Die wat nie so ver wil loop nie, kan maar huis toe gaan.

Nie een van ons praat of wil loop nie. By die begraafplaas het hy sy baaitjie uitgetrek en sy hempsmoue opgerol en met die pik begin werk. Ons ses het elkeen 'n kans gekry om met die graaf die sand uit te gooi.

Nadat die graffie gegrou is, en op pad Broadway toe, sê Teacher Richard: Ek gaan die babaliggaampie vieruur kom begrawe. Julle kinders is welkom om saam te kom, want die graffie moet toegegooi word en ek het hulp nodig.

Die woord het gou rondgegaan. Voor vieruur, toe die skool uitkom, stap ons kinders groot en klein na Oom Boonzaaier se kamer.

Daar hoor ons die domanie is nie beskikbaar nie. So het hy glo vir Teacher Richard gesê. Gee maar vir broer Herman, onse ouderling, die eer, het die domanie getrotseer en weer in sy huis ingeloop.

Toe Teacher Richard vir Oom Herman gaan vra om met 'n gebed te lei as hy die liggaampie ter aarde bestel, antwoord hy beledig: Ek! Nie vir 'n ongeëgte kind nie.

Teacher Richard antwoord toe: Goed, Oom Herman, maar dit is jammer dat Oom oordeel. Elke hond kry sy dag, sê hy hardop vir homself toe hy wegloop.

In Oom Boonzaaier se kamer lê Ethel op haar bed, haar gesig na die muur, haar arm oor haar oor. Sy wil niks sien of hoor nie. Dit is nie my kind nie! sê sy hardop. Ons kinders hoor dit daar buite.

Ouma Drieka sê vir die grootvrouens wat ook om Ethel se bed staan: Dit is beter so, dan sal sy nie die wese onthou nie.

Die liggaampie se kissie was twee skoendosies, die agterste uitgebreek om die een in die ander te laat pas. Daarin het Ouma Drieka die liggaampie en nageboorte gesit en dit toegemaak met koerantpapier. Toe is die kissie in 'n skoongewaste kussingsloop gesit.

Teacher Richard was die enigste mansmens wat saam met Ouma Drieka en die ander oumas daar in Ethel se kamer bymekaar was. Hy het 'n paar woorde gesê en toe die amen.

Die begraafplaas was vêr, in Greenpoint, maklik drie myl van Broadwaystraat af. Teacher Richard het die kussingsloop met die babaliggaam in die skoendosie in sy arms opgetel en so loop hy die pad in die warme namiddagsonlig na die Greenpoint-begraafplaas.

Ons kinders loop almal agter onse Teacher Richard – so twee-twee – en hande houvas. Sonder dat hy gesê het dat ons so moet loop. By die begraafplaas kan sy arms nie buig nie, hulle is styf van die dra. Twee van ons kinders neem toe die kissie van sy arms af.

Na hy sy arms 'n paar keer geswaai het, klim hy in die gat en sit die wit sloop met die liggaampie neer.

Ons wil toe die sand oor die kissie gooi.

Nee, sê Teacher Richard met sy hand. Kinders, sê hy, ons gaan eers almal saam die Here se gebed opsê. Ons ken dit mos, nie waar nie?

Elke een se kop knik. Toe sê ons saam: Onse Vader, wat in die hemel is.

Ons kinders en Teacher Richard was asof ons een bestaning is met die Here tussenin – wat 'n wonderlike geestelike gevoelente.

Toe ons uit die begraafplaas uitkom, kom Piet Visasie op sy fiets aangery. Meester, sê hy, jy het ver geloop, ek het gekom om vir jou 'n lift te gee.

Baie dankie, Piet, bedank Teacher Richard, maar ek wil saam met my skoolkinders loop. Is daar een van julle wat moeg is? vra Teacher Richard. Oom Piet sal hom 'n lift gee.

Ons antwoord nie, draai net onse koppe en kyk vir mekaar.

Ons het nie weer geloop en hande vashou nie. Ons het niks gepraat nie, ons Broadway-kinders wat nie hulle bekke kan hou nie.

'n Paar dae daarna hoor ons by die skool 'n kind sê dat Harold Jones, die een wat sy arm op die rugbyveld gebreek het, sy ma vertel het van die kind wat in die cardboks begrawe is. Toe het Miesies Jones glo vir hom gesê: Waarom het hulle my nie kom geld vra vir 'n kissie nie? Die Here seën 'n mens as hy vir ander goed doen.

Om te dink, ons kinders het gedink dis Teacher Richard se kind.

NA DIE BEGRAFNIS

Die mense het almal geloop. Ethel se kamerdeur is toe, maar sy is nou wakker. Daar is niks meer om aan te dink nie. Sy gaan op haar knieë voor die bed. Haar liggaam brand. So kniel sy versteen, weet nie vir hoe lank nie.

Here, Here, bid Ethel. Die woorde kom uit haar hart. Ek vra U om vir Rie-shit te bewaar. Om hom alles te gee wat goed sal wees. Ook 'n vrou, eendag, wat nooit vir hom 'n slegte kyk sal gee nie. Here, my Here, en as ek hom verbystap, laat ek u genade in hom aanskou.

Here, smeek sy, ek weet nie of dit U of Satan is wat my deel het nie. Maar as dit van U is, my Vader, sê ek dankie. Gelukkig is dit verby, maar die hartseer bly nuut. Ek vra weer, Here, om vir Rie-shit alles van die beste, rein en skoon te gee. Lang jare. Vat van my jare, my Vader, en maak syne meer. As daar nog iets is, wat U van my af wil vat, my Vader, neem dit en gee vir Rie-shit.

Daar is geen amen nie en nie meer woorde nie. Die huil kom, die laaste huil uit haar diepste binneste. Die hartseer en smart wat net 'n onskuldige maagd kan uiter. En so het sy aan die slaap geraak.

Richard is baie moeg, hy vat die kortpaaitjie na sy losieshuis toe. Hy loop verby Ouma Drieka se boom.

Ouma Drieka staan op, druk haar doek reg.

Richard wil Ouma Drieka se hand vat.

Nee, sê sy, nie nou nie, Meester.

Sy sit haar hande bymekaar in 'n biddende gebaar. En sy sê: Daar is min mans wat 'n vrou vergewe en bystaan in haar donker uur sonder dat hy gevra is. Jou betaling, Meester, jou seën sal jy kry, nie vandag nie maar eendag.

Toe kyk Ouma Drieka vêr waar die son aan 't sak was.

Sy kyk weer na Teacher Richard. Gee nou vir my jou hand, Rieshit, seën die ouvrou.

RICHARD KRY 'N BRIEF

Die somer het gegaan, die winter is ook verby. Die perskebome gee hier en daar 'n kleursel op hul takke. Die man wat moet sorg dat die mense hulle briewe kry, staan weer voor Richard.

Dié is seker vir jou, sê hy. Mineer R. van Wyk.

Dankie, sê Richard.

Hy lees: Sy ma het weer getrou met Oom Frank Robertson, die boukontrakteur. Sy en die kinders het ingetrek by sy huis, skryf sy. Ek het hom gesê hierdie huis is Richard, my oudste kind, se huis. Toe verhuur hy onse huis solank aan een van sy voormanne, skryf sy ma. 'n Mister Freeman, miskien onthou jy hom nog. Die huurgeld sal ek vir jou bewaar, en jy het nie meer nodig om vir my geld te stuur nie. Ek is nou versôre, my kind.

Die aand sit Richard en Ethel op die twee stoele. Na Richard vir haar vertel het wat in die brief staan, sê hy weer: Snaaks, die ouman het altyd agter jongmeisies gegaan. Nou sit Ma met hom en sommer in hulle eie huis ook.

Het hierdie Oom Robertson dan nie kinders nie? vra Ethel.

Ja, gesels Richard, 'n groot dogter wat getroud is.

Sê vir jou ma Ethel wens haar alles wat goed en lekker is en vir jou stiefpa dieselfde. Nee, nee, sê Ethel weer, moet nie sò skryf nie, dit lyk asof ek my indruk waar ek nie behoort nie. Ek het ook 'n huis. Hierdie kamer behoort aan my, Ethel Boonzaaier.

Ethel Boonzaaier is nie kaalgat nie, terg Richard. Jy sê altyd 'n ding op die Broadway-manier, sê hy. Ek kan doen met daai ekstra paar pennies. Maar verder sê hy niks.

Die vroulike liggaam herstel baie gou en mooi as dit in vreugde en liefde beweeg. Toe die swaar verby is, het Ethel met elke dag 'n bietjie nader aan die ou Ethel Boonzaaier gekom.

Sy stap nie 'n mens verby sonder om te laggroet nie. En dit raak die mense wat in Broadway woon.

Ethel en Richard stap nou saam Sondae kerk toe. As die mense hulle kyk, vat Richard Ethel se hand in syne en so loop hulle.

Richard kry toe weer 'n brief van sy ma waarin sy skryf: My man, Oom Frank, sê as jy wil huis toe kom, kom. Hy het werk vir jou. Hy het eintlik iemand soos jy nodig.

Richard vertel Ethel daarvan.

Toe, op 'n dag, help Ethel Ouma Drieka met haar wasgoed. Hulle is besig om die wasbalie. Ouma Drieka sê: Ethel, hierdie jonge man, hierdie skoolmeester. Ek glo nie dat hy 'n volle man is nie.

Hoe so, Ouma? vra Ethel.

Jy sê hy het nog nie sy hand op jou boud gesit nie.

Hy sit nou sy hand op my boud, so skelmpies. Ek maak asof ek nie voel of sien nie. Dan kyk ek hoe stoot sy wortel sy broek weg.

Jy moet oppas, Ethel, vermaan Ouma Drieka.

Hy groet dan net en loop skaam uit die kamer, vertel Ethel en lag saggies en ingenome.

Ouma Drieka sê: Well I never – een van die Engelse spreekwoorde wat sy nou en dan verbruik.

DIE LIEFDE WORD INGESOEN

Hulle sit op die twee stoele – Ethel s'n en haar pa s'n. Ethel met 'n beker en Richard met 'n glas in die een hand en die pierinkie vir onder die glas in die ander. Hulle sit sonder tyd of gedagte en drink masjoekoesjanie, 'n kruie wat volop in die veld groei. Drink dit met melk en suiker. As 'n mondvol van die tee saggies in die keel afgaan, gee dit 'n warme, amper pepermentgevoel in die maag. Hulle kyk na buite, asof hulle verwag 'n droom moet begin. Klaar tee gedrink, sit hulle met hulle hande op hul knieë – tevrede dat daar niks is om oor te dink nie. Skierlik is dit asof die onuitgesproke gedagtes losbars. Ethel se oë blink van water wat nie val nie. Haar twee hande lê op sy hand. Rie-shit, Rie-shit, fluister sy met woorde wat diep uit haar kom. Rie-shit, kyk sy in sy oë. Haar oë beweeg asof sy syne nog nooit gesien het nie. Rie-shit, sug sy die woord, ek wil net jou skroplap wees.

So smeek sy hom met die sug van die woord: Skroplap.

Hy omhels haar en sit haar op sy skoot. Hy druk, hy druk haar. Hoe harder hy haar druk, hoe meer voel hy hoe druk hy van homself in haar. Elke druk is sterker as die ander. Hoe meer hy van homself gee, hoe meer is daar om te gee. Ethel voel soos die stille water van 'n put. Die stroom is sterk, die water stoot op. Die put sal nooit oorloop nie, maar die water sal altyd vlak lê.

Nou druk Richard nie meer vir Ethel nie. Hy houvas haar, sy ken op haar skouer. Ek wil jou man wees, trou met my, my Skroplap, fluister hy teer.

Ethel staan voor Richard, hy weet nie hoe sy uit sy arms gekom het nie. Rie-shit, sê sy verstom, wat het ek nou gehoor?

Ek sal dit nie weer sê of vra nie, antwoord hy.

Ja! skree sy opgewonde. Ja! en sy spring op sy skoot. Haar hande om sy rug, sy druk en druk, sy kan nie hard genoeg druk nie. Sy voel sy warme manlike asem blaas in haar oor. Ek het jou, sê sy.

Sy los hom en druk altwee sy ore toe met haar hande. Rie-shit se voorkop, sê sy, en sy soen, soen, soen dit. Rie-shit se neus, sê sy en sy soen, soen, soen dit. So het sy sy wange, ken en nek gesoen, soen, soen. Sy hele gesig is nat van Ethel se ongeoefende nat, oopmond soene, wat sy met 'n mmm vasdruk.

Toe druk sy haar nat lippe op sy mond en hou dit daar met 'n mmm. Ek is net jou skroplap, kom dit saggies.

Sy spring op soos 'n mens wat nie blydskap gewoond is nie. Sy hardloop uit die kamer: Ouma, Ouma, my Ouma Drieka! skree sy uitbundig terwyl sy hardloop.

Richard sit, hy vee sy hande oor sy nat oë en wange. Nou is ek taai gesoen, lag hy.

Ouma Drieka staan van die stoel op onder die boom. Wat gaan nou aan? sê sy. Word sy dan mal? Ethel het sommer vir Ouma Drieka om die lyf. Moet my nie so druk nie, wat gaan nou aan? blaas Ouma Drieka die woorde uit.

Ethel druk nie meer nie, sy houvas net vir Ouma Drieka. Sy skep diep asem en toe kom die woorde: Rie-shit praat van trou.

So het die hele Broadway geweet dat Teacher Richard vir trou gevra het.

Skroplap, my Skroplap, net my Skroplap, praat Richard die volgende oggend toe hy sy skoenriempies vasmaak. Skroplap, net my goue Skroplap. My goue Skroplap wat alles reinig. Te hel met beminde, darling, sweetheart. Daai eksieperfeksie name.

ETHEL GAAN KUIER VIR RICHARD

Ethel gaan kuier nou vir Richard gereeld waar hy loseer. Sy word die swartvrou, Tant Dora Jonathan, en haar man, Sersant Jonathan – of Mister Sergeant, soos die mense gesê het – gewoond. Tant Dora vertel vir Ethel sy wil graag gaan kuier by haar mense in Maseru. Haar man sê hy sal vir Ethel betaal as sy vir Richard en die ander loseerder, Mister Fraser, en vir homself kos maak. Die huiswerk sal Naledi doen, dié werk al jare daar.

Ek sal lekker kos maak, sê Ethel. Die kos wat ek vir my Pappa gemaak het – en sy voel iets in haar hart wat nie lekker is nie. Dié verlange kry sy elke keer as sy aan haar pa dink.

Tant Dora is toe baie opgewonde en verheug en vat haar man om die lyf en gee hom 'n soen. Thank you!

Dit is genoeg, my girl, sê Sersant Jonathan verleë. Tant Dora laat Ethel soveel tyd spandeer soos sy kan om haar te wys hoe sy haar huis regeer.

Die week voordat Tant Dora ry, besluit haar man hy gaan saam. Dit is ook tyd vir sy fourteen days leave, soos hy dit noem. Waarom moet ek hier my verlof sit en deurbring? Ek gaan saam, sê hy.

Ethel het toe net vir Richard en Mister Fraser om vir hul ete te sôre.

Sersant en Tant Dora is toe weg. Ethel regeer die huis net soos Tant Dora haar geleer het en alles gaan goed.

Na tien dae is hulle terug met 'n seunkind. Glo 'n weeskind van een van Tant Dora se familielede. Sersant Jonathan het baie gou lief vir hom geword. Hy, Sersant Jonathan, is die soort mens wat as hy liefhet, sy liefde geen grense stel nie. Maar as 'n Britse oud-soldaat wys hy nie gevoelens vir sy medemens nie. Hulle moet net doen wat hy sê of anders.

Maar met sy Dora – my Dora – soos hy haar altyd genoem het, was dit anders. Sy het hom regeer. Dié kwaai man het sy maklik gehanteer. Sy, die swart vrou.

Die seuntjie slaap tussen hulle in die bed. Na werk loop Sersant nou die Beaconsfield-paaie met die kind aan sy hand. Waar hy staan, sê hy: He is now my child. Ons gaan hom aanneem, vertel hy vir mense as hy geselskap kry. Dan staan die seuntjie met sy arms om sy pa se been.

Sy naam is Christopher Jonathan, sê Sersant Jonathan. Ek hou nie van 'n kort naam nie, en een naam is genoeg.

Die mense sê hy lyk net soos sy ma.

Ja, sê die sersant, seuns lyk altyd soos hulle moeders.

Tant Dora merk op by Ethel: Hy moes baie swaar gekry het. Kyk hoe maklik glimlag hy nou, en my man se liefde vir hom is soos 'n man wat ses kinders liefhet.

Ethel en Richard begin hom ook gewoond word. Sergeant Jonathan sê: Richard, Chris is skoolgaan-ouderdom, wanneer kan ek hom skool toe neem?

Ons wag net vir 'n brief van Chris se mense in Maseru vir sy geboortedatum. Dan gaan ons hom registreer, antwoord Tant Dora.

Ja, beaam die sersant: Christopher Jonathan.

Die brief uit Maseru het gekom, die seuntjie is geregistreer: Christopher Jonathan. Daar was 'n klein partytjie en in die lekkerte van die aand sê Sersant Jonathan: My son, my offspring – en vat vir Tant Dora om haar lyf en soen haar. So natuurlik asof dit waar is.

Richard belowe hy sal sorg dat Chris mooi sy skoolwerk doen. Ethel belowe dat sy vir Chris skool toe sal neem. Dan het Tant Dora nie nodig om so vêr te loop nie.

Dié is wat ek nou vriende noem, het Sersant Jonathan op sy stywe militêre manier gesê.

ETHEL VAT DIE SEUNTJIE SKOOL TOE

Ethel vat toe vir Christopher skool toe. Sy nuwe gepolitoerde skoene is alweer vol stof toe hy daar aankom. Hy het 'n keppie op sy kop, en Ethel dra sy lei en leipen. In die ander hand het sy Christopher se hand styf vas. Sy spog eintlik met hom, want daar is min van ons kinders wat so mooi uitgevat is.

Môre, Teacher du Toit, groet Ethel. Ek het 'n nuwe skolier gebring, Christopher, en sy kyk af na hom.

Het jy sy geboortedatum? vra Teacher du Toit. Ek moet dit in die registrasieboek skryf. Laat staan hom hier, Ethel, dan bring jy dit saam met jou môreoggend.

Ek sal sommer sy geboortebewys bring, sê Ethel.

Die volgende oggend neem Teacher du Toit die papier uit Ethel se hand. Sy kyk dit, grenslag en sê: Nie hier nie.

Dit was die dae toe alle swartmense Naturel geskryf is.

Waarom nie hier nie? vra Ethel toe sy die papier terugvat. Maar Teacher du Toit sê net: Hy is nie van ons nie.

Ethel vat vir klein Chris na Richard se klaskamer en sê vir hom: Daai hotnotsgot wil nie vir Chris in haar klas hê nie!

Laat ek sien, praat Richard, en hy vat die papier. Hoe kon Mister Sergeant so 'n fout gemaak het? sê Richard. Waarom het hy my nie gevra nie? Ek het ook nie daaraan gedink nie, ai.

Wie en wat se fout praat jy van, Rie-shit? vra Ethel.

Hier staan: *Nàturel.* Nou is die arme kind verdoem. Hy moes geskryf het Christopher is 'n Cape Coloured, dan was hy beter af, sê Richard.

Christopher lyk dan net soos onse ander kinders, Rie-shit, sê sy.

Richard sug en kyk na Chris. Ja, sê hy, maar die verskil is in die geboortesertifikaat en hier staan ons daarmee. Die papier is mos meer aanvaarbaar as die gesig.

Richard vat vir Chris na 'n leë skoolbank. Sit solank hier, sê hy. Ek gaan haar sien.

Ek gaan saam, sê Ethel, met die gedagte: Die kind is in my hande geplaas.

Miss du Toit, sê Richard, die twee oumense, sy peetouers, neem hom aan as hul eie kind en voel oor hom soos eie ouers. Hy het groot vreugde in hul lewens gebring. Hy is 'n godsend, het Sersant Jonathan gesê. Die kind sal my en jou nie so seer maak soos ons die twee oumense sal maak nie. Laat ons net die datum lees en nie die ander sien nie, Miss du Toit, smeek hy.

Sy gooi haar klein kop op haar lang liggaam heen en weer. Ek sal eers Reverend Andrew Compton raadpleeg, dit sal na skool wees. Ek, Josephina du Toit, onderwys nie kaffers nie.

Richard kyk haar met 'n aandag. Toe skud hy sy kop en loop weg.

Ethel loop saam. Die meid! sê Ethel skoon verstom.

Skaam-skaam stap Ethel Tant Dora se huis binne. Sy gee die papier en gaan sit op 'n stoel en begin huil. Sy vertel toe Teacher du Toit sê sy gaan eers vir Reverend Compton raadpleeg.

Tant Dora is toe baie ontsteld. Dit gaan my man baie seer maak, sê sy.

Laat ons maar stilbly en eers hoor wat besluit Reverend Compton, sê Tant Dora. Hy en my man sit nie om een vuur nie, net oor my man 'n swartvrou getrou het. En ou Jonathan het hom eendag in sy gesig gesê: To hell with your Church.

Die volgende oggend vat Ethel weer vir Chris skool toe. Teacher du Toit staan gereed saam met die Engelse predikant. Hier kom hulle nou, hoor Ethel Teacher du Toit sê.

Ethel glimlag en groet. In die nag het sy gedink: Ek gaan hulle mooi vra, ek gaan hulle soebat. Hulle moet vir klein Chris vat.

Die Reverend Endoe Komtin – soos Richard sy naam sê, en Ethel ook – was van die soort predikante wat dink hulle is hoër as hul medemens, baie na aan God en van God gestuur, en hulle kyk neer op hul medemens – die sondaar in hulle oë. In Afrika het die Reverend Compton kom ontdek hy is 'n witmens, en dit eis onderdanigheid van ander. As mens was hy ook maar onbeskof, sonder dat hy daarvan geweet het. Maar die Beaconsfield-grootmense het hom gerespekteer – hulle het nie van beter geken nie.

Teacher du Toit gooi haar kop rond soos gewoonlik.

Yes, beaam Reverend Compton, Miss Du Toit is right, we do not accept kaffirs in this Coloured school, en hy kyk die onskuldige kind met weersin op en af.

Dit was te veel vir Ethel. Sy hardloop om na Richard se klaskamer. Rie-shit, Rie-shit, roep sy. Daai Reverend Endoe Komtin sê hy vat nie kaffers in sy Coloured skool nie. Die helfte van die skool is leliker as Chris en meer kaffer as hy!

Richard sê toe: Onse hande is afgekap, ons kan niks daaraan doen nie. Kom, my Skroplap, ek loop nie nog 'n dag in dié skool in nie.

En so loop hulle elke een hand aan hand met die seuntjie weg.

By Tant Dora Jonathan se huis kon Richard nie praat nie. Al wat hy gesê het, was: Ek gaan loop, en toe maak hy die kamerdeur toe.

Dit was Ethel wat vir Tant Dora vertel het wat gebeur het.

Richard kom toe uit die kamer, tas en komberse in sy hande. Hy sit dit neer, en sê vir Tant Dora: Dankie, Tante, vir alles. Hier is die huurgeld, ek gaan weg.

Hoekom wag jy nie tot my man kom nie? Dis mos nie jou skuld nie.

Nee, Tante, ek wil nie sien hoe seer dit vir Sersant gaan maak nie. Bedank hom vir alles.

Hy neem Tant Dora se hand en soen haar op die wang en soen ook vir Chris. En loop uit.

Maar buite sê Ethel: Rie-shit, laat jou Skroplap die komberse dra.

By haar kamer haal Ethel die sleutel van haar nek af. Sy sluit die hangslot oop, en stoot die deur oop.

Onse kamer, sê sy. Hier is nog brood en ek maak suikerwater vir ons.

HULLE PRAAT DIE NAG DEUR

Na 'n lang stilte en diep dink sê Richard: Môre trou ons. Hy haal al sy geld in sy sak en in die tas uit. Hier is 'n vyfpondnoot vir die spesiale troulisensie. En dié is genoeg om vir ons huis toe te vat.

Ethel dink een van haar gedagtes wat sy partymaal nie weet waar dit vandaan kom nie. Ons huis? sê sy. Dan het ek nie meer 'n spookpa wat instap wanneer hy wil nie.

Môre, sê Richard, trek jy jou Sondagklere aan en ons vat die trem Kimberley toe, na die magistraat se kantoor toe. En as ons gelukkig is, stap ons uit die kantoor man en vrou.

Hy gee vir haar daai ou drukkie. My Skroplap, sê hy met 'n blink in die oog.

Die sterre is lankal uit, dit is donkermaan. Hulle sit en wag vir die woorde om te kom. Daar is groot jammerte, ongeloof, nie-verstaning, wat die kamer en die mense daarin vasknoop. Hulle sit met hierdie gedagtes wat so diep lê dat trane nie nodig is nie. Nou en dan word 'n ja gesug. Tussendeur is daar die stilte van liefde waar tyd nie inkruip nie.

Richard se gedagte draai om die onreg aan klein Christopher omdat hy swart is.

Jy weet, Ethel, sê hy, die mensdom van Afrika het bestaan voordat enige van die witmense van oorsee hier gekom het.

Die mooiheid van die Afrika-mense is dat hulle broers is, al is hulle verskillende volke. Ons wat tusen die swart- en witmens geskep is, moet sorg dat ons inpas in Afrika. Want Afrika sal Afrika bly. Verstaan jy, Ethel?

Nie mooi nie, Rie-shit, nie mooi nie, sê Ethel. Maar Rie-shit, die mense van Afrika het eers nie klere gedra soos ons nie, sê sy.

Ja, Ethel, antwoord Richard, net soos onse voorouers in die land. Maar hulle het ook nie nakend rondgeloop nie. Die verskaamte was altyd bedek. Net soos by die dier – dit hang nie buite nie.

Die donkie hang buite, sê Ethel.

Ag, hy wil net spog, lag Richard, en sit sy duim op sy lippe asof om te sê: Wat wou ek nou gesê het?

Ethel, sê Richard weer, ek vra jou, waarom moet 'n man skaam wees om sy ma se tet te sien? Die tet wat hom aan die lewe gehou het. Waarom moet hy skaam wees vir sy suster as sy jongmeisie word en dan weer 'n moeder?

Ja, en as jy jou broer sien baard kry en 'n man word, sê Ethel. Sy dink 'n bietjie aan 'n preek wat sy in die Sendingkerk gehoor het. Toe sê sy: Die mens se gedagte was seker eers skoon.

Skoon soos die natuur – dit is baie na aan God, sê Richard. Toe die witmense die mens van Afrika gekleed het – soos hulle sê – het hulle sommer sy gedagtes ook aangesteek met nuwe siektes wat hulle nie geken het nie.

Ethel sit en dink: Daai Rie-shit sê sulke diep dinge. Dan sê sy: Nou wil die Reverend Endoe Komtin nie eens onse kind in die skool hê nie. Net oor daar Naturel staan.

Onse mense, sê Richard, is trots op wat hulle genoem word – Cape Coloured. 'n Hond ken sy naam maar hy weet nie wat gesê word nie. Cape Coloured is 'n Engelse woord vir die kind wat in die lewe is deur sy wit en swart ouers. Nou is sy ma se mense en sy pa se mense nie meer die kind se mense nie.

Dit is mos ons, ontdek Ethel.

Ja, beaam Richard, die hartseerste is die manier wat die Engelse ons verbruik het. In die Boeroorlog het hulle ons verbruik om die Boer se plaashuise af te brand. En die Boer onthou dit. Vir dié daad het hulle ons 'n medallion gegee, vir in die diens van King and Country.

So het Ouma Drieka my ook vertel, sê Ethel. Wat van die witmense wat ook ons taal praat? vra Ethel.

Hulle praat nie ons taal nie. Ons – dit is hulle en ons – praat die taal sáám. Vir hulle, net soos ons, is Afrika die geboorteland. Nie soos vir Sersant Jonathan wat met 'n swart vrou sy lewe deel maar in sy hart oorsee onthou – wat hy van droom as Home nie.

Ons is almal Afrikaners, sê Richard – soos in Engels gesê: African. En ons taal maak ons Afrikaans. Mens is die taal wat jy praat, Ethel, sê hy. Hulle gee die wit Afrikaners die naam Boere – wat 'n mooi woord: mense van die land. Maar die Engelse se vrees draai 'n mooi woord om en sê: Boors, wat klink soos wildevarke op Engels.

Dis ons almal se land, Ethel. Die land waarin jy gebore is, is jou land.

Sy klim op die bed. Ek hoop hulle verander die lelike woord, Cape Coloured, sê sy moeg. Dit klink vir my soos 'n dier wat ingekleur is. Dis vir my net so lelik soos Kaffer.

Toe draai sy haar om en val vas aan die slaap. Richard trek sy skoene uit, en sit die ander stoel voor hom. So met sy arms oor die stoel se rug, sy kop op sy arms, raak hy ook aan die slaap. Hy sien nie eers die deur is nog oop nie.

DIE TROUE – EN GOODBYE

Hulle is toe terug van Kimberley af met die trousertifikaat in Richard se sak.

Ethel sê: Rie-shit, gee my ons verenigingpapier.

Sy vat dit en loop die hele Broadway deur en spog: Kan julle sien? Hier is dit. Onse trousertifikaat. Sien julle, ek hardloop nie weg nie, ek gaan mooi weg. 'n Getroude vrou, nie 'n los meid nie.

Die mense van Broadwaystraat was baie bly saam met Ethel. Maar een ding kon hulle nooit verstaan nie. En dit was waarom Ethel so ontsteld was oor Chris nie kon skoolgaan nie. Dit is mos net 'n kaffertjie, het hulle gesê. Ander het gesê: Vir wat moet hy skool toe gaan? Die tyd is so swaar.

Maar Ethel het niks meer oor Chris gesê nie.

En so het Richard toe sy eie maagd oor sy ma se voordeurdrumpel gedra.

Jy laat val my nie, is al wat sy kon sê.

En toe kom die woorde van Antie Montie se kers weer by Richard op: Jy sal jou ma se voordeur inloop met haar.

Dit was net so.

Die dag na Benjiman Jakobs vir Ethel van Wyk by die poskantoor gesien het, sê hy vir homself by die eettafel: Ai, maar ek is moeg. Ek het die hele nag wakker gelê, nie 'n oog toegemaak nie. Ek kon die Ethel Boonzaaier met haar spogmotorkar nie uit my kop kry nie. Ek het die hele nag aan al die dinge in Broadway, Beaconsfield, moet lê en dink.

Mammie, sê hy, weet jy wat?

Ja? sê sy vrou.

Ek het iets vergeet om jou te sê.

Nou wat kan dit nou weer is? vra Tant Francina.

By die poskantoor, gister, sê hy.

Ja, nou wat nou weer van die poskantoor? sê sy.

Hy sit verlore in sy herinneringe, met 'n tikkie heimwee daarby. Hy peusel net aan die kos.

Praat en kry klaar, Ben, sê Tant Francina ongeduldig. Ek moet die tafel afdek en het ander werk om te doen. Ek is nie so gelukkig soos jy nie. Wat poskantoor toe gaan om vroumense te aanskou nie.

Mammie, sê hy, ek kyk toe oor haar skouer en sien daar op die registreerde koevert geskryf: *Net my Skroplap*. Kan jy dink?

Dit is net Ethel Boonzaaier daai, sê Tant Francina. Hy, die skoolmeester, het haar mos daai aaglike woord genoem, sonder skaamte, enige plek. Staan op en laat ek die tafeldoek opvou. En hou op aan ander vroumense dink, Benjiman Jacobs. Dink 'n bietjie ook aan my. En los daai lekker ou dae in Broadway, Beaconsfield, Kimberley.

SEELE MOAGI
18/10/1930 - 3/11/1972

Matt. 19:6

Sodat hulle nie meer twee is nie,
maar een vlees. Wat God dan
saamgevoeg het, mag geen mens
skei nie.

Die mense gaan huis toe. Die diens is verby.

Poppie, sê Seele, wat het die pastoor nou weer gespreek? Ons moet Jesus vir ons – hoe's dit nou weer?

Ons moet Liewe Jesus as ons persoonlike verlosser aanneem, my Jong, antwoord Poppie. Sy noem haar man, Seele Moagi, nog al die jare op sy bynaam: my Jong.

Laat ek voor loop, sê Poppie. My oë is baie skerper as jou oë. Dié tyd van die jaar is die noga ook die eienaar van die paadjie. En jy ken daai pofadder se streke.

Daai witman, Pastoor Wilkens, wat hulle ook sê die American, hy weet rêrig hoe om Jesus in onse harte te sit – tota, tota. Baie sterk, sê Seele. En met sy singstem, wat nie moeg word nie, kom die diep, kleurvolle woorde: Go monate go pholosiwa – It is good to be saved. Dit is die enigste tyd wanneer Seele nie hoes nie.

O, wonderlik! Wonderlik! klim Poppie haar man se stem in. Die twee stemme sing met een hart. Hulle het die versie dié aand geleer en dit oor en oor gesing met 'n vol hart en sagtheid. Daar in die groot tent wat die American opgeslaan het. Hy noem dit toe die herlewing van Christus. En die kerk se naam is The Assemblies of God Church.

Die kerkdiens was so aangenaam, so verskillend van ander kerke in die stat Montshiwa, dink Poppie. Groot, klein, jonk, oud het saamgestaan, met hande gevou, oë toe en harte oop in gebed. Elkeen het na die amen sy eie woord bygesit: Here, help my. Daar onder die diens, waar die mense se gedagtes na die Vader van die Hemel gegaan het, is die redelose haat van hulle werkgewers en opsigters uitgevee.

Ander Sondae dié tyd is ek al aan die slaap, sê Poppie. Sy staan stil in die paadjie en beskou die sterre. Sy kyk af in die paadjie – en sien iets soos 'n stuk hout. Sy spring opsy. Nog 'n tree en sy het op die slang getrap. Met haar hand op haar hart prewel sy: Moediem, Moediem! Maak gou, loop vinniger, my Jong. Ek sien die kerslig al. Die kinders het dit laat brand. Dit is so lekker om in 'n huis te gaan waar daar lig is.

Hulle het voor ons geloop en is seker al aan die slaap, vermaan Seele toe hulle by die huis kom. Ek wens ek kry werk, voeg hy die wens by wat nou en dan uit sy mond kom.

Hy loop eenkant toe om water te gaan weggooi – soos hulle sê – voordat hy instap in sy tweekamer-platdakhuis. Groot klippe op die dak hou die sinkplate vas, anders waai die wind dit weg.

Seele voel dit elke keer binne-in hom as hy sê: My legae. Sy tuiste – dis hier waar sy liefde regeer. Kom winter, kom sonskyn, honger of volop. Liefde het in sy legae gegroei en nog nooit het dit sy huis verlaat nie.

Seele Moagi dink aan Pastoor Wilkens wat sy hart en dié van die gemeenskap geroer het met sy woorde. Seele voel dit binnekant. Dis die geestelike aandoening van 'n kerkganger wie se môre net bestaan uit: Ek hoop, en dit het die gewone Sondagaand-gevoelens oor wat môre sal bring, vanaand weggewas soos 'n sagte reënbui.

DIE MAN, DIE TENT, DIE UITSTRALING

Pastoor Wilkens – 'n witman soos alle witmense in hulle oë. Sy neus is te groot en te dun. Oë die kleur van koppies wat vêr lê. Buite die tentkerk was hy nooit sonder sy stetson-hoed nie. Hy het 'n paar van hulle gehad, almal met groot rande, almal verskillende kleure. Dis hoekom die nuut gestigte gemeente hom die naam gegee het van Moruti Cowboy.

Wat sy preek lewendig gemaak het, is dat hy sy voete opgetel het soos 'n perd wat galop. En die mense het daarvan gehou, met stille glimlaggies van lekkerkry. Pastoor Wilkens se vriend, wat sy woorde in onse taal oorgedra het en wat saam met hom van Johannesburg gekom het – as hy van hom praat met ons, sê hy: Peter Wilkens die Texan. Wat nog uitgesteek het by Pastoor Wilkens was sy vroulike loop. Seker iets wat hy nie kan verander nie, het die mense gesê.

Die mense het die kerk volgemaak met hulle eie stoele en bankies. Nuuskierigheid het hulle aangelok. Ander net om te praat. Ek was ook daar.

Die tentgemeente het nie minder geword nie. Party moes buite staan, tevrede net om te hoor. Die gelyk klappe van die hande, die nuut geleerde woorde van wysies – alles dinge wat elke persoon daar ontvang het en wat hom 'n deel van die melodie gemaak het. Die arme en die swarte weet hoe om God te eer.

Die atmosfeer van eerbiedigheid is in die tentkerk in een van Godlike Liefde verander. Iets nuuts in die sonder-hoop-mensdom wat nooit vergeet nie, wat omsingel is met die haat van dié wat het en nie die hoop nodig het nie. Dié wat wel kan vergeet.

Die swart vel het mos 'n magneet se trekkrag vir dié wat hom die seerste maak.

DIE MOAGI-WONING

Die stat se mense het almal geweet waar die Moagi-familie se huis te kry is. Want Seele en Poppie was deel van dié mense se Afrika-geboortereg: huis sonder nommer, straat of lig; straat sonder naam. Maar die posman weet waar om sy briewe af te lewer, want almal ken almal.

Loop jy by die enigste buitedeur van die tweekamerwoning in, sien jy 'n tafel bedoel vir kombuistafel, eetkamertafel en skryftafel vir die twee kinders, Dawid en Wela, om hulle skoolwerk te doen. In die hoek staan daar 'n Welcome Dover-koolstoof. Gekoop met die trougeskenkkoei – Tiholo – se verkoopgeld, nadat sy goed geteel het. Teen die muur is twee houtkassies vasgespyker – rakke vir die kombuislosgoed. Daar is 'n bliktrommel, waarop Dawid se slaapvel en komberse bedags gepak word. Hy is nou vas aan die slaap in sy hoek.

Van die kombuis af is daar 'n opening na die ander kamer.

Die opening se deur is 'n gordyn. En in daardie kamer is 'n hangkas en 'n familiebed. Die bed van die vader en moeder. In die ander hoek is Wela ook vas aan die slaap. Die kamer se reuk is skoon, want elke Saterdag word dit met koeiemis gesmeer – die boloko gee 'n vars reuk.

Die ouers probeer om nie die kinders wakker te maak nie. Hulle gaan stadig op hul knieë en bid saggies: Ke a itumela, Modimo – Dankie, Here.

Seele trek nie sy klere uit nie. Hy lê op die kombers, want hy wil die oggend vroeg weg wees om weer werk te gaan soek.

Soos hy daar lê, lyk Seele langer omdat hy so maer is. Die moesie op sy linkerwang is groot, so groot soos die punt van 'n duim. Praat mense met hom, kyk hulle nie na hom nie, maar na die moesie. Dit steek nogal mooi uit, die swart moesie op die kakie vel.

Sy hare begin wit word, met 'n kol op sy voorkop. Daar is 'n paar gedraaide krulhare op sy ken, en sy bolip se hare maak net 'n merk. Hy hoes gedurig. Dis sy gedagtenis aan die goudmyn en sy bruidskat – die bogadi – sê hy altyd.

Seele lê wakker. Hy dink nie meer aan waar hy kan werk kry nie. Hy voel asof hy klaar geslaap het en wakker geword het. Hy dink aan Pastoor Wilkens en hoe gelukkig die mense uit die tent geloop het.

Toe kom die gedagte van die vorige winter by hom op. Van die nuwe jonk eerwaarde wat gesê het hy is van die Bybelskool. Dit was 'n Sondagmiddag, onthou Seele, en die hoes het baie asem uit hom getrek. Die predikant vertel toe vir die stat se mense: Julle is my volgelinge en daar is heidomgewoontes onder julle wat ek moet verander.

Seele dink: Die namiddag sit hy hier in my kombuis, die eerwaarde. Soos hy gesê het, hy doen huisbesoek. Na 'n koppie tee vertel hy toe – soos hy gesê het – hoe hy 'n man van God geword het. Ek het hom nie mooi verstaan nie, dink Seele. Ek het maar my mond gehou. Want die geleerdes wil nie hê ons moet teëpraat nie.

Seele sien weer die hele Sondagnamiddag asof hy deur 'n venster kyk.

Die moruti sê toe: Seele, sê die kinders moet gaan speel. Daar is iets baie belangrik wat ek wil vertel.

Waarom belangrik? vra Poppie. Is die Bybel dan nie vir kinders en grootmense gelyk nie?

Nee, Mma Moagi, sê hy. Ons gaan praat wat net grootmense kan verstaan.

Goed, beaam Seele, julle kinders gaan speel tot ek julle roep.

Dawid en Wela loop uit en gee die moruti 'n snaakse kyk.

Hy praat toe sommer dadelik wat op sy gedagte is. Ek hoor by die kerkouderlinge julle twee lewe in sonde, sê hy.

Seele lag maar kan nie aanhou lag nie, want die hoes is sterker as die lag. Hy sê: Wat het ek nou gehoor?

Die moruti sê weer.

Nou hou Seele op met die hoes. Hy wil nie meer lag nie. Wat bedoel jy? vra hy oplaas onseker.

Hulle sê julle is nie getroud nie.

Poppie kyk die moruti met 'n aandag vas in sy oë en sê: Ons twee is getroud.

Die moruti antwoord: Ja! Voor die duiwel en nie voor God nie. 'n Man en vrou kan net getroud word voor 'n man van God, en dit is in die kerk.

Poppie skud haar kop verbaas, verbysterd, en sê: Ons het groter moeilikheid as dit. Weet jy dat die reën nog nie dié jaar geval het nie, Moruti?

Hy weet nie wat droogte is nie, praat Seele tussen sy hoesies deur. Moruti, sê Seele, jy sit hier in my kombuis en sê Poppie is nie my vrou nie.

Ja! beaam hy, julle is nie in die kerk getroud nie.

Jonge man, sê Seele, luister na my voordat ek jou uit my huis gooi.

Die moruti antwoord: Jy mag my nie uit jou huis gooi nie, want ek doen die Here se werk.

Gee my 'n kans en luister na my, sê Seele.

Die pa en ma van Poppie het gewerk en swaar gekry om hulle dogter groot te maak. Toe ek haar sien vir die eerste keer, sien ek my vrou. 'n Moruti was nie saam met my om te sê daai sal jou basadi wees nie. Net ek en die Here het vir Poppie gesien.

Toe gaan vra ek my pa om vir Poppie se pa te vra laat sy my basadi sal wees. Sien jy hierdie twee hande? – en hy wys die moruti die palms van sy hande. Met hierdie hande het ek gewerk om Poppie se ma en pa terug te betaal en meer, omdat hulle so mooi agter my vrou gekyk het. Ek sal nie meer praat nie, maar laat ek jou dié sê. Hierdie liggaam was 'n gesonde liggaam. Ek het nie net met my hande betaal nie, ek het ook met my gesondheid betaal vir my basadi. Dit was agtien maande in die goudmyn, en daai tyd was 'n swartmens se lewe nie werd sy dag se loon nie. Maar ek het nie jammerte vir myself nie, my liefde vir Poppie het nie plek vir jammerte nie.

Hy staan toe op en houvas Poppie se hand. Poppie voel dit, Seele voel dit, maar nie die moruti nie. Hy is nie deel van hulle liefde nie.

Dit is waar jy verkeerd is, sê die moruti, en voeg by – om 'n ander mens te koop en haar jou slaaf maak. Net slawe word gekoop.

Poppie tel haar man se hand op. Ek, ek, sê sy verontwaardig, is baie gelukkig en bly om my Jong se slaaf te wees. Jy, Moruti, verstaan nie en sal nooit verstaan nie.

Waarom sal ek nooit verstaan nie, Mma Seele? vra die moruti. Jy mag nie met 'n vrou lewe nie, soos ek gesê het vir Seele.

Moruti sal nie verstaan nie . . .

Seele dink aan die eerste ontmoeting met Poppie in die park en sê in sy gedagte: God het ons in die park liefde gegee, en hy kyk op die misvloer asof hy sy jonk gevoelens nie vergeet het nie.

Die moruti wil 'n woord inkry maar hy kan nie.

Poppie sê: Is God dan nie liefde nie, Moruti?

Die moruti antwoord nie. Maar sê: Wat God saamgevoeg het, mag geen mens skei nie.

Dit is waar, beaam Seele, God hét ons saamgesit – tota, tota. Hy't ons vasgemaak, ja.

As Moruti 'n man en vrou trou, wat doen Moruti? vra Poppie.

Ons maak hulle 'n getroude man en vrou, sê die moruti, en hulle sal nie in sonde lewe nie.

Seele het nie die geselskap geniet nie en sy humeur begin opstoot. Hy wil opstaan.

Poppie druk sy hand af, want sy hand was op die tafel.

Sit, sê sy. Moruti, ek kan verstaan dat Moruti twee mense trou en hulle is man en vrou. Maar kan die kerk liefde in hulle huwelik sit?

Jy kan hulle sê om mekaar lief te hê, antwoord Seele in sy uitkyk op die lewe. Dan sal hulle dink aan die bed. Ek en Poppie, ons was gelukkig gewees – God het ons eers liefde gegee en toe bymekaargesit. Voor die hele stat se mense.

Poppie staan op en gaan staan buite voor die deur. Dankie vir die besoek, Moruti. Jy moet jou nie in onse geseënde huwelik indruk nie. Daar is groter probleme noudat die reën nie wil kom nie.

Die moruti loop weg sonder om te groet. Met die Boek in sy hand – asof dit sy God is wat hy dra.

Snaaks! dink Seele op sy bed voordat hy aan die slaap raak. Twee manne van God, die moruti en Pastoor Wilkens, elkeen op sy perd en op sy eie paadjie.

HOE SEELE VIR POPPIE ONTMOET HET

Seele het vir Poppie ontmoet die dag toe hy dorp toe gaan, dit was op 'n Vrydag. Hy was toe net 'n paar jaar oor twintig en hy het vanaf Lekoko gegaan met sy pa se donkiekar om die vel van die slagdier te verkoop. En met die geld moet hy vir sy ma inkopies saambring.

Hy hou stil by die park waar die wit kinders speel, om water te drink en om sy leë bottel vol te maak by die waterkraan. 'n Gewoonte van hom as hy dorp toe kom.

Hy loop verby 'n meisie. Sy groet: Dumela, Ra.

Hy dumela haar terug, en vra waar is die metsi. Maar hy het goed geweet waar die waterkraan is. Hy wou net iets sê – net iets om deel van hulle twee te wees. Die meisie skaterlag, 'n lekker gesonde lag.

Dit is die eerste keer in Seele se lewe dat hy notisie van 'n lag neem. En dit raak hom asof dit deur hom gegaan het en hy luister vir nog.

Sy sit op die gras en staan op. Sy mag nie op die park se bank sit saam met die twee wit kinders wat sy agter kyk nie. Die wet van die land laat dit nie toe nie. Daar is groot op die bank geskryf: NET VIR BLANKES.

Sy neem die bottel van hom en hardloop na die waterkraan. Sy maak dit vol water en gee dit vir Seele. Sy gee die bottel aan op die manier wat haar mense se gewoontes haar geleer het. Dit is – die een hand hou die bottel en die ander hou die elmboog. Sy gee dit met 'n knik van die knieë.

So sag en mooi, dink Seele. Die twee kinders kom na haar en gryp elkeen 'n stukkie soom van haar rok in die hand.

Haar rok is wit, wit met blou kolle. Dieselfde lap waarvan die kindermeidklere altyd gemaak is. Seele kyk en sien haar wange is nat en dit blink. Hy vra: Hoekom huil jy, moroba?

Ek het nie gehuil nie, Ra, sê sy met 'n skaterlag. Dit is die groot een – en sy sit haar hand op die seuntjie se kop. Hy is Faan. Hy soen my gedurig, ek weet nie wat om te doen nie laat hy ophou om my te soen nie. Hy is net vier jaar oud, en dit lyk my, hy weet hy mag dit nie voor sy ouers doen nie. Maar as ons hier by die park speel, wil hy net klouter en soen. Eenkeer, vertel sy vir Seele, wag daar 'n witman in 'n kar vir sy kinders om van die swaai te kom. Hy sit in die kar en sien wat maak Faan. Hy is in my Miesies se kerkgemeente. Hy sê toe vir haar voor almal na die kerkdiens: Jou kinders se meid soen jou kinders in die park. Dit is gevaarlik, want ons weet nie wat se siektes hulle dra nie.

Die Maandagoggend by haar huis, toe ek die kinders regmaak om na die speelpark te gaan, kyk my Miesies my en ek sien sy word rooi-blou-warm in haar gesig. Ek word bang en wil weghardloop, maar sy houvas my hand en klap my al deur my mond met haar hand.

Die bek, die bek, die bek, sê sy soos sy my klap in my mond. Dit was baie seer, want haar ringe het my lippe gesny. En sy sê: Sit jy net weer jou swart lippe op my kinders, dan sny ek hulle af. Ek was bang om my Ra te sê, toe hy vra: Poppie, wat makeer jou lippe? Toe sê ek vir my Ra my eerste leuen en hy het dit geglo.

Wat het jy gesê? vra Seele.

Ek het gesê ek het gehardloop en geval. My Ra is nie bang vir witmense nie. Hy sê altyd hulle is verkeerd en hulle weet dit nie.

Nou val die trane rêrig oor Poppie se wange. Seele weet nie wat om te doen nie.

Seele staan op, vol jammerte vir die onbekende meisie, en loop na sy pa se donkiekar. 'n Vrou het nog nooit so met hom gepraat nie, so asof sy hom ken en gewoond is, dink hy. Op die donkiekar Lekoko toe, het hy daai skaterlag van die moroba saam met hom gedra. Asof hy dit met sy ore, gedagte en hart terselfdertyd hoor.

DIE MERK VAN LIEFDE

Ra Moagi stuur vir Seele gereeld dorp toe – dit is na die dorp Mafeking – om inkopies te kry. Hy ry gewoonlik met 'n klein mosimane; die seuntjie help hom oplaai. Sy eerste stilhou is altyd by die park waar hy water drink en die leë bottel vol water maak. Dan staan hy daar asof hy iemand verwag.

Eendag toe hy van die dorp af kom, vertel die mosimane vir die mense: Seele staan by die park waar die witkinders speel. Dit lyk asof hy iets verloor het en hy verwonder hom aan die witkinders.

'n Ander mosimane wat saam met Seele dorp toe gegaan het, kon dit ook nie verstaan nie. Hy kom sê vir die mense: Daai Seele is getoor.

Seele se pa hoor dit en was baie bekommerd daaroor. Hy vermaan toe: Dit is gevaarlik, my kind, om voor die witmense se park te gaan staan. Hulle kan jou maklik in die tronk gooi en sê jy het iets gedoen wat jy nie gedoen het nie. Ek sal jou nie meer dorp toe stuur nie. Jou ma stem saam met my.

Seele het wat die mense gesê het die siekte van die hart gehad en hy kon dit nie verstaan nie. Sy ouers het geweet wat dit beteken en het mekaar gevra: Wie kan dit wees? Hier in Lekoko is nie meisiekinders met wie hy geselskap hou nie.

Sy ma vra hom: Seele, vir wie begeer jy om jou basadi te wees? Jou maters het almal basadi's gevat.

Hy praat nie – asof hy nie gehoor het nie.

Toe kom die reën. Nou moet Seele alles laat staan om sy pa se lande te gaan ploeg. Die eerste reëns het Seele se gedagte en sy krag weer wakker geskud, en die siekte van die hart en daai onvergeetbare skaterlag uit sy gedagte gewas.

Die oes is ingesamel. Seele se pa is bereid om vir hom weer met die donkiekar dorp toe te stuur. Hy moet 'n sak wit mielies na die meule in Stasieweg toe neem vir mieliemeel.

Hy staan en wag in die tou van die donkiekarre. Oorkant die pad staan 'n motorkar met 'n TAD-nommerplaat. Hy let nie op wie in die kar sit nie, en het amper aan die slaap geraak van die wag. Toe hoor hy die onvergeetbare geluid: die skaterlag wat – soos hy voel – aan hom behoort. Hy kyk, en daar sien hy haar. Hy stap toe oor na die kar.

Dit is net sy, sê sy hart, sy gedagte. Dumela, kom die groet en dan doen hy wat hy voor die oes gedroom en gedink het. Hy gee sy hand. Die witman se manier om te sê: Seele.

Sy lag. Poppie, sê sy, van Lomonyane.

Ek is van Lekoko, gesels hy met 'n glimlag en kyk haar met al wat sy oë kan sien.

'n Witvrou in 'n broek kom en kyk vir Seele op en af. Sy sê: Wat wil jy hê? Laat staan my meid, jou kaffer.

Poppie het nie weggekyk nie. Sy kyk vir Seele en dink: Waar het ek jou gesien?

Die witvrou klim in die kar, draai die sleutel. Sy kyk na Seele en sê: Jy moet nie met my kindermeid neuk nie. Volgende keer gooi ek jou in die tronk – en sy trek die kar weg.

SEELE DINK AAN VROU-VAT

Op pad Lekoko toe, met die sak gemaalde mieliemeel agter op die donkiekar, peins Seele so ver soos hy ry: Poppie, Lomanyane, Poppie, Lomanyane, Poppie, Lomanyne . . . soos die twee donkies hulle kloue neersit op die sandpad.

By die huis, nog voordat hy die sak mieliemeel van die donkiekar afhaal, sien hy sy pa en ma onder die groot boom sit. Hy stap oor en groet, en in dieselfde asem vertel hy oorstelp van vreugde oor sy besluit: Ek gaan trou.

Sy pa kyk sy ma en sy ma kyk sy pa, altwee spraakloos.

Nou wie kan dit wees? vra sy pa oplaas.

Maar Seele stap net weg om die donkies te gaan uitspan.

Mma Moagi antwoord haar man uitgelate: Die een wat sy hart ingeklim het. Kan jy dan nie sien nie, dat die siekte hom weer het nie?

Hy kom terug onder die boom met 'n haastige stap: Haar naam is Poppie, sê hy, en sy woon in Lomanyane. Môre gaan ek join by die myn. Dit is naby die meule.

Sy ouers antwoord hom nie. Sy nuwe praat en houding het hulle onverhoeds gevang.

Hy staan en dink: Ek sal eers by die meule staan en wag. Miskien sal Modimo weer laat ek my lag hoor. Ek sal twee mosimane saamneem om die kar en donkies terug te bring.

Ek wil gaan werk vir my bogadi en die myn sal die gouste wees, Ra. Hy kyk hy na sy pa asof vir goedkeuring.

Sy pa staan op en kyk vir Seele. Sy gedagte en oë werk saam. My seun, sê hy, en omhels Seele. Dit is die beste nuus wat ek in jare gehoor het. Jy is 'n egte Botswana en die gewoontes van my vader voor my vader moet in my seun se gewoontes ook wees. Jou bloed en my bloed sal voortleef in jou kinders se bloed.

Mma Moagi huil, die trane van blydskap rol oor haar wange. Wie sê jy, my kind, is my nuwe dogter? vra sy.

Mmawe, antwoord Seele, haar naam is Poppie en sy woon in Lomanyane. Probeer haar ouers kry, tswee-tswee. Asseblief. Want môre is ek weg na die goudmyn in Johannesburg om te gaan werk vir my bogadi.

SEELE GAAN WERK VIR SY BOGADI

Na 'n jaar in diens van die goudmyn is Poppie se pa nie tevrede met Seele se bogadi nie. So sê hy, maar eintlik wou hy net seker maak dat Seele regtig vir Poppie wil hê.

Seele gaan toe weer terug goudmyn toe vir nog ses maande se werk. Ra Moagi wou sy seun met kgomo help. Baie dankie vir die beeste wat Ra wil gee, het Seele gesê. Verskoon my, maar ek wil alleen vir my bogadi werk, ek en net ek. Dan weet ek Poppie behoort aan my.

Sy, Poppie Mosiane, het 'n binneskoonheid gehad. Vir haar was haar swart vel van God geskape. Sy was fris gebou, nie vet nie, lewendig soos 'n gesonde jong vrou. Sy het haar vroulike plek in die bestaning van haar mense se gewoontes en tradisies geken, en was trots daarop. Sy was baie jonger as haar nyatsi, Seele, en altwee het geen ander man of vrou begeer nie.

Seele, ek wag vir jou, het sy gesê.

SEELE VAT 'N VROU

Die troudag, soos Ra Mosiane, Poppie se pa, gesê het, moet op 'n Saterdag gevier word. Die mense het nie nodig om Saterdagnag te slaap nie. Hulle kan Sondag heeldag slaap om Maandag werk toe te gaan.

Vrydagaand het gekom. Die vleis en die pap en die bier is reg.

Die Saterdag is daar groot vreugde by die fees.

In die diepnag van Saterdag, toe die sterre hoog sit, is die nama, die bogobe en die bojalwa klaar. Die fees is oor. Daar is stilte, die stat slaap.

Dagbreek vat Seele sy vrou se hand en trek haar op van die bankie waarop sy sit. Sy weet dit is tyd om haar ouers se huis te verlaat. Al die naastes van die jong getroude paartjie is reg om hulle af te sien.

Poppie vat haar nuwe suitcase en loop die deur uit. Die vroumense se duduetsa breek deur die stilte: Die hoë klank van die vrouens se stemme trek deur Poppie se lyf.

Seele gee Poppie se hand 'n drukkie om seker te maak sy behoort aan hom. Hulle loop in die paadjie. Hy wil die suitcase neem om te dra.

Maar sy keer. Nnyaa, sê sy. Ek is die basadi, ek dra, en jy, my Jong, loop voor – haar eerste woorde vir haar man, en haar bynaam vir hom het gebly: my Jong.

Die duduetsa het aangehou totdat hulle al die huise verbygestap het.

Toe kom die grootbroer van Poppie, Michael Mosiane, aangehardloop. Hulle staan in die paadjie en wag vir hom. Hy sê: Onse pa het vir my gestuur om te vertel: As ek jou terugroep, my dogter se man, is dit nie 'n goeie voorteken nie. Gaan haal self uit my lesaka, my eie kraal, 'n bees van jou keuse. Vat dit nou saam met jou, nie môre nie. Dit is wat onse Ra my gesê het om my nuwe broer te vertel, sê Michael Mosiane vir Seele. Hy is eintlik kortasem van die hardloop.

Michael sit sy hand liefhebbend op sy suster se arm en vryf dit. Altwee glimlag asof daar nie woorde is wat kan uiting gee aan hul gevoelens nie.

By die kraal wys Seele vir Michael 'n koei met haar kalf, en sê: Ek roep haar Tiholo – Skepping.

Michael sê: Gaan julle twee, die pad is lank. Ek sal sorg dat Tiholo vanaand in Seele se pa se lesaka slaap.

En Seele en Poppie val weer in die pad.

Hulle is moeg toe hulle by Seele se nuut geboude twee kamers aankom. Seele en Poppie kyk na hul eie huis.

Seele haal die sleutel uit sy sak en maak die knipslot oop. Sy manlike plig is dat hy eers moet binnegaan om enige iets – noga of muti, slang of toorgoed – uit te gooi.

Sy vrou sit haar suitcase neer en kom solank haar vroulike plig na. Sy vat die kleipot en gaan maak dit vol water.

Hy wag vir haar, hy is moeg, dan nie meer moeg nie.

Sy hart klop vinnig, asof hy bang is. Hy moet iets doen wat hy nog nie gedoen het nie.

Dit is stil, baie stil.

Die water kom. Seele maak die deur toe.

Hulle altwee dink sonder dat hulle daarvan weet: Die tyd het gekom.

TWEE MENSE, EEN TYD

Dit word laat.

Hulle gaan lê op die twee nuut gebreide velle, die slaapvelle. Hulle skoene is uitgetrek, en daar is 'n kleipot met water op die tafel.

Poppie is stil, sy praat nie.

Maar Seele bly sê: Poppie, Poppie, Poppie. Dan bly hy stil want sy hart begin vinniger en vinniger te klop. Hy lê stil – en skierlik is dit weer: Poppie, Poppie, Poppie.

Sy staan toe op en staan en water drink. Hy kyk op – onder die rok in. Dit was te veel vir Seele – twee van sy broek se knope breek en die kierie druk homself uit. Met sy uitkom en met die lekkerkrygesig wat Seele trek, gooi hy sy manlikheid vas teen die muur.

Ai, my Jong, sê Poppie, jy gooi die kind vas teen die muur.

Voor die troue het een van die lawwe ou vrouens vir Poppie gesê:

Jy ken vir Seele net van buite af. Op die eerste aand moet jy kyk hoe lyk hy van binne. Jy moet hom mooi uitkyk. Nou dink Poppie daaraan.

Seele lê stil, half geskok. Poppie maak sy broek oop.

Sy sê: Hier is die twee mae – die eiers, hy het hom. Hier is die gras, hy het hom. Nou moet ek die vel aftrek, het hulle gesê, en as hy gesond is, sal sy kop blink. Nou moet sy hom druk, het hulle gesê. Sy trek met haar klein handjie wat nie reg om kan gaan nie, en is tevrede dat hy blink. Poppie luister met haar oor en sê: Hy tiek, tiek, tiek soos 'n sakoorlosie. Sy druk, druk, druk. Seele trek 'n gesig en gooi, hy gooi haar vas onder die ken.

Nou het jy twee kinders weggegooi, sê Poppie, toe sy haar skoonvee met die waslap.

Sy gaan lê op haar vel.

Poppie, sê Seele, ek wil ook sien.

Wat wil jy sien, my Jong?

Daai ding wat jy wegsteek tussen jou bene.

Hy kyk.

Sy sê: Jy moet die broek aftrek.

Hy doen wat sy sê, en hy kyk, kyk, kyk en hy bly sê: Mooi, mooi, mooi. Hy wil daaraan vat, hy wil en hy wil, maar is bang om daaraan te raak. Soos 'n pot wat warm is en hy weet sy vinger gaan brand.

So het hulle die nag deurgebring – een heuningaand-werkie na die ander.

Die son sit hoog, hulle word wakker, Poppie se hand in Seele se hand.

My Jong, sê Poppie, wat het jy gesien toe jy gekyk het?

Jy meen daai ding wat jy wegsteek? sê hy.

Ja, sê sy.

Poppie, sê hy, ek het gesien alles wat lekker is. Maar nie die vissie nie – hom het ek net geruik.

En daar begin die heuningaand-werkie van nuuts af.

TEVREDENHEID EN VERDRIET

Die twee mense, vir hulle maak dit nie saak of dit somer of winter is nie. Nag en dag het geen verskyning vir hulle nie, dis alles dieselfde. Hulle werk, sien, hoor gelyk. Hulle is een.

Seele ploeg sy pa se lande. Die reën kom elke jaar op tyd. Party seisoene reën dit goed. Ander jare is die reën maar swak. Maar dit bly nie weg nie. Poppie het vir Dawid in die lewe gebring en Wela suig nog tet.

Seele is besig in die lande. Die lande is amper klaar geploeg. 'n Mosimane kom aangehardloop, hy huil bitterlik. Die woorde kan nie uitkom nie.

Seele skud hom. Sê my, sê my wat jy my kom sê! skree hy.

Die woorde kom nie uit nie.

Seele trek die ploeg onder 'n boom en span die osse uit. Die twee donkies het naby gewei, en hy span hulle voor die donkiekar. Hy gaan toe reguit na sy pa se huis toe. Hy weet dat sy pa al vir weke plat lê.

Terwyl hulle ry, kry die mosimane gepraat. Seele se pa slaap vir altyd, sê hy.

Seele hou stil by sy pa se huis en stap in die donker wolk van hartseer in wat om die huis vou. Sy ma trek die laken van sy pa se gesig af. Seele kyk en sê vir homself: Dit is my pa.

Die begrafnis kom, dis verby. Maar die hartseer en die verlange van iemand wat weggegaan het, bly agter. Daar is 'n verandering in die huisgesin en die huis se omgewing. Maar die lewe moet aangaan.

Seele ploeg die twee lande. Seele saai. Seele maai. Die reën het goed geval, die oes is baie mooi. Die jare loop aan.

MICHAEL WIL HÊ SEELE MOET 'N BAKKIE KOOP

Michael Mosiane, Poppie se broer, verloor sy werk. Dronk agter die stuurwiel, het die mense gesê. En was dit nie vir sy pa – die poeliesman – nie, het hy in die tronk gesit.

Na 'n paar weke sonder werk kom sien hy vir Seele.

My suster se man, sê hy, ek het 'n voorstel. Ons kan altwee welaf word en beter lewe.

Ek is hoogs tevrede met die lewe, antwoord Seele. Ek kort niks nie, dit is net hierdie hoes van my wat die medisyne nie kan gesond maak nie. Maar vertel my wat in jou gedagte is, my broer.

Seele kyk hom met die gedagte: Jou klere is nooit vuil nie, hoe werk jy dan? Met jou dik glase op jou oë. Daai stem van jou, sonder 'n kraak, dit is uitgeslaap. Mense sê jy is 'n ramkat. Dan dink Seele weer: Jy is my broer, ek het jou saam met Poppie gekry.

Michael haal iets uit sy sak. Dis 'n papier met die nuwe soort bakkie daarop. Ford, staan dit geskryf en dit gee al die besonderhede van die voertuig.

Seele kyk die papier en sê: Hoe gaan jy dit koop?

Nee, antwoord Michael, ons gaan dit saam koop. Jy sal die eienaar van die bakkie wees en ek die bestuurder. Ek weet hoe, en sal mooi agter die bakkie kyk.

Seele vra: Waar gaan ek al die geld kry om die ding te koop? My donkies en die donkiekar makeer niks nie.

Michael is baie slimmer as Seele – is hy dan nie die poeliesman se seun nie? Hy dink: Met jou soort moet 'n man nie haastig wees nie. Dit sal genoeg vir nou wees.

Michael vra vir Poppie: Hoe gaan dit met die kinders? Hy vat vir klein Wela en sit haar op sy skoot.

Poppie gesels: Ons is almal gesond, dit is net my Jong se hoes wat my seer maak.

Na Michael saam magou gedrink het, sê hy: Ek loop nou, my broer en suster, ek sal weer kom.

My deur is altyd oop, my broer, nooi Seele.

Michael is toe weg, maar hy het die Ford-prent op die tafel gelos. Poppie sit en kyk daarna vir ure. Haar vrouegedagte sê vir haar: Hier gaan ek sit, hier voor. Is ek dan nie die vrou van Seele nie?

Sy lag haar lekker skaterlag, asof sy klaar daarin sit – die skaterlag wat Seele sê behoort aan hom.

Hy lag. Poppie, wat sien jy?

Ek sien hoe sit ek hier voor saam met jou en Michael, my Jong.

Dan moet ons die ding kry, hoes Seele die woorde uit.

Poppie sê: Dan kan ons verder gaan soek vir medisyne vir onse hoes.

Die Ford-prent het vir vier dae op die tafel gelê. As Seele die huis inkom, gee Dawid vir sy pa die papier. Hy kyk en word nie moeg om te kyk nie. Poppie verwonder haar ook aan die mooi ding.

Michael het werk gaan soek, en hy het werk gekry. Hy moet die volgende oggend begin werk. Hy lê toe heelnag wakker en dink: Ek, Michael Mosiane, 'n form six boy, waarom moet ek met 'n graaf gaan werk? My pa die poeliesman, as hy verbyry en sien sy seun werk met 'n graaf – wat 'n vernedering sal dit wees vir hom. Nee, nee! peins hy. Môre gaan ek vir Poppie en daai ryk man van haar sien. Het hy dan nie sy pa se kraal vol beeste geërf nie? Ek sal met Poppie gaan praat.

Hy lê wakker, sonop raak hy aan die slaap.

Die namiddag stap Michael die deur van Seele se huis in, hy groet en Poppie dumela hom terug.

Sit, nooi Poppie en gee vir hom melk om te drink.

Hy vra toe: Hoe gaan dit met Seele?

Poppie antwoord: My Jong is fris en gesond, dit is net daai hoes wat hy saam met hom dra.

Michael vat die prent wat op die tafel lê, en kyk daarna. Hy gee dit vir Poppie en sê: Met dié kan ons regte medisyne gaan soek.

Ek dink ook so, beaam Poppie.

Dan moet ek en jy vir Seele, my broer, oortuig wat is goed vir hom, sê Michael. Wat maak hy met sy pa se kraal vol beeste? Gee dit hom nie te veel werk nie? Ek dink hy moet kies tussen sy pa se kraal en daai hoes van hom. Wat dink jy, my suster? vra hy skelm.

Ek dink net soos jy, my broer, antwoord Poppie.

SEELE KOOP 'N BAKKIE

So het Seele van sy pa se beeste en van sy eie beeste verkoop vir die nuwe rooi Ford-bakkie. Michael is nou die transport van Lomanyane en Lekoko. Hy maak geld en vat die sak geld na Seele om te deel. Na die eerste geld wat gedeel word, besluit Michael die geld is te veel om in die huis te laat rondlê. Van nou af sit ons die geld in die bank, sê hy. Hy sit die geld gereeld in die bank – maar op sy eie naam en kom wys vir Seele die bank se papiere en die datum. Seele kan nie lees nie, maar hy ken die syfers.

Poppie ry nou gereeld op en af Mafeking-dorp toe en sy dink: Ek is die miesies. Partymaal vat sy die mense se geld aan en gee sommer te veel kleingeld terug. Die mense wil graag by haar betaal. Michael let dit nog nie op nie, solank as hy net die sak met die geld terugkry aan die einde van die dag.

Seele hou nie van die nuwe soort vervoer wat sy pa se beeste se geld gekoop het nie. En hy sê so. Hy sê: Gee my my donkiekar, die rooi ding ry te vinnig. Hy wil nie meer voor sit nie, hy sit nou agter en maak sy oë so nou en dan toe.

Swaarheid, droefheid en lekkerheid – al die -heide hou nie aan nie.

Michael lewe nou te lekker, hy begin te drink. Hy is nooit sonder sy halwe bottel brandewyn nie en betaal nog steeds geld in onder sy eie naam by die bank.

DIE BAKKIE WORD AFGESKRYF

Die mense in Lekoko wag dié dag vir die Ford. Michael kom nie uit nie. Niemand weet waar hy is nie.

Die volgende dag hoor Seele daar is drie mense in die hospitaal, en die twee passasiers wat saam met Michael voor gesit het, is dood – almal van Lomanyane. Hy ken hulle nie.

Die bakkie is – dis 'n nuwe woord vir Seele – afgeskryf. Michael, so sê die mense, het nie 'n krap aan hom nie. En hy het homself nugter geskrik. Hulle vertel hy het 'n klip so groot soos die wiel langs die pad geslaan en toe slaan die bakkie om en dit beland in daai diep sloot. Hoe Michael uitgekom het, weet hy nie.

En so met die gaan van die bakkie het Seele se pa se beeste en van sy eie beeste saamgegaan, want hulle het mos vir die bakkie betaal. Nou het hy omtrent niks oorgehad nie.

Seele hoor later die assuransie het die bakkie se afskryf goed uitbetaal. Maar hulle het vir Michael betaal, want die bakkie se papiere was alles op Michael Mosiane se naam.

Michael het ook gegaan, nes die beeste en die bakkie, maar met die assuransiegeld en die geld op sy naam in die bank.

DIE DROOGTE

Die reën het weggebly, die reën het nie gekom nie. Die sprinkane het vroeg gekom en klaar gevreet wat oorgebly het van die vorige reën.

Die aarde lê dor, die wind blaas stof deur elke krakie. Die nuwe wolke is stofwolke – die wind draai, draai die stof soos 'n tol wat spog, en hy trek sy draai tot in die droë hemel waar hy verdwyn.

Die watergate droog op, damme lê leeg. Putte wat water het, se water lê heel onder, waar die muise versuip en die water verrot. Wind is daar genoeg om die windpomp te draai, maar sy draai gee nie water nie. Seele Moagi verloor sy moeder in die groot droefheid en begrawe haar met hartseer en 'n swaar gevoel van leemte en smart tussen die bome wat nou nie meer blare wil gee nie. Die ween van hulle gom blink in die son se afdraand die Saterdagnamiddag van Seele se ma se begrafnis.

Die tentkerk is toe ook weg. Ons weet nie waarheen nie. Ons mooi nuwe uitkyk op die lewe het saam verdwyn.

Ja, dit was 'n bitter jaar. Ek sal dit nooit vergeet nie.

Seele kom aangeloop met 'n bok wat nie meer kan loop nie. Dit hang oor sy skouers, die laaste van al sy diere. Hy sê vir Poppie: Laat ons sy keel sny dat hy ordentlik doodgaan. Dan eet ons lewendige vleis en nie wat doodgegaan het nie.

Vandag, sê Poppie vol verlange, as ek terugdink, sien ek 'n droom, en net 'n droom. Kan dit waar is? vra ek vir myself. Om te dink daar was so baie gewees – nou is daar niks. Niks. Maar die lewe moet aangaan, my Jong.

Sy vat haar hand se palm en vee die trane van Seele se wange af.

Seele het nooit vir 'n baas gewerk nie. Nou soek hy enige werk by enige baas. Net om vir Poppie en die kinders aan die lewe te hou. Hy sien daai jonk eerwaarde van die kerk weer rondloop met die Bybel onder sy arm. Hy is nog net so trots, hoe kry hy dit reg? dink Seele.

POPPIE GAAN SOEK WERK

Seele soek werk maar kan nie kry nie. Poppie se pa, die poeliesman, het 'n sakkie mieliemeel gestuur. Soos hy gewoonlik sê: Dit is vir die kinders. Dié meel is nou ook klaar.

Poppie vat haar doek en loop. So in haar loop sit sy haar doek om haar kop. Ek gaan vra vir werk, om wasgoed te was, praat sy met haarself.

Poppie staan waar die mense staan wat honger is en nie geld het nie. Voor die negosiewinkel. En kyk hoe dié wat het en nie nodig het om te vra nie, die droom van die lewe geniet.

'n Ma gee haar kind 'n appel. Die kind gee die appel 'n byt en gooi dit voor Poppie in die stof. Sal my Wela dit ook doen? dink Poppie. Sy wil die appel gaan optel en teen haar rok skoon vee. Here, bid sy, Jy sien my hier staan in jou oë. Jy weet vir wat staan ek hier. Gee vir my werk, asseblief, en laat ek my nie verlaag om weggooikos soos 'n dier op te tel nie. Here, Jy, en my ou Jong sal dit nie wil hê nie.

'n Jong vrou sit in haar kar. Sy kyk na Poppie en sê vir haar man: Vra die meid, wil sy werk hê.

Nee, sê hy. Vra jy.

Jy verstaan nie. Dit is jou ma en ek wat moet sukkel, sê die jong vroumens.

Ja, antwoord hy, ek sukkel ook, ek het ook 'n paar ekstra hande nodig.

Poppie wil wegloop.

Basadi! roep die witvrou met 'n swaai van haar hand.

Haar man sê: Ek maak gou my besigheid klaar. En hy klim uit en loop oor die straat.

Poppie groet: Môre, my Miesies.

O, jy kan Afrikaans praat, sê die witvrou.

Ja, ek kan, Miesies, ek soek werk, asseblief.

Ek het werk vir jou, maar dit is op die plaas.

Poppie antwoord: My Jong het ook nie werk nie.

Wat se werk ken jou man? vra die witvrou.

Beeste – en hy kan ploe maar nie met 'n trekker nie. Met osse. Ons het alles verloor met die droogte, my Miesies, vertel Poppie.

Die droogte het ons ook 'n knak gegee. Gelukkig het die regering ons gehelp om die plaas te herstel, gesels die witvrou. Dit lyk asof ons mekaar sal verstaan. My skoonmoeder het gesê ek moet iemand kry wat haar nie doodvreet nie en te min werk doen nie.

Poppie praat nie. Sy dink, ek ken julle soort mos.

Miesies, pleit sy, ek soek werk om te lewe.

Die witvrou sê: Ek vat jou en jou man. Daar is 'n leë volkshuis. Dit kan vir julle goed pas.

Poppie sê: Ek het twee kinders. Hulle kan by my pa bly, want hulle gaan skool.

Goed dan, antwoord die witvrou, ek kom môre dié tyd met die bakkie en kry vir jou en jou man hier.

Poppie sit haar hande bymekaar en sê: Dankie, Here.

Die witvrou glimlag en knik haar kop asof sy die Here is.

Poppie stap haastig weg om vir Seele te gaan vertel.

Op pad huis toe sê die witvrou vir haar man net voor die afdraai na die plaas Platrug: Faan, sê sy, ek het daai meid gehuur. Ek kom haal haar môre met die bakkie. Jy sê jy kort nog 'n hand, wel, ek het haar gesê ek vat haar saam met haar man.

Wat het jy nou weer aangevang, Lisa? sê haar man ongeduldig. Jy weet Ma hou nie haar bediende lank nie, want hulle moet na Ma se gesindheid werk en nie soos hulle wil nie. Daar is net een meid wat na Ma se gesindheid gewerk het, en Ma praat vandag nog van haar.

Die volgende dag is Faan vroeg weg na die ploeglande. Alles loop verkeerd in die huis. Lisa se skoonma sê: Kan julle nie 'n bediende saambring van die dorp af nie? Daar staan die struis nog leeg.

Lisa antwoord: Ek het iemand gekry, en loop die huis uit na die bakkie.

Op pad Mafeking toe dink Lisa: Ek hoop ek ry nie verniet nie. Sy vat die draai in Martinstraat en sê hardop: O! Daar staan sy.

Hulle groet en Poppie stel haar man voor: Miesies, dié is my Jong.

Lisa sê: Ek vat julle altwee, kom ons gaan haal julle goed.

Daar in Lekoko by Poppie en Seele se huis dink Lisa: Ek laat hulle al hul goed vat, dan kan hulle nie wegloop nie. Alles word op die bakkie gelaai, net die rakke op die muur word nie afgeruk nie.

Met die laai van sy goed dink Seele: Vir my werk het ek gebid. Werk het ek gekry. Wat meer wil ek hê? Poppie en ek is tog saam.

Hy gee sy laaste loer in die huis en trek die deur toe. Sonder 'n woord druk hy die knipslot toe.

Lisa is tevrede om die twee kinders eers na Lomanyane te neem. Die ou poeliesman Ra Mosiane en Mma Mosiane is baie opgewonde en in hul skik.

Hy sê: Waarom het julle vir die kinders so lank laat swaarkry? My pensioen is genoeg om vir hulle te sorg en om agter ons te kyk. Toe hulle wegry, sê die ouman: Hou hulle daar, Miesies, ons sal mooi na die kinders kyk.

Lisa antwoord: Daar is 'n bushalte voor die plaashek, en dan is daar ook die telefoon.

Gee my die nommer, en die ouman haal sy boek en potlood uit sy sak. Nou weet ons waar julle is, sê hy toe hy die nommer het.

Dit is laatmiddag toe die bakkie voor die struis stilhou.

Klim julle twee eers hier af, sê Lisa. Ek gaan huis toe. Klaas! roep sy een van die werkers. Kom saam, dan kan jy die bakkie weer terugbring. Dan gee ek hom sommer julle rantsoene, sê sy vir Seele en Poppie. Verder verwag ek julle twee op tyd in die werk môre-oggend.

Lisa kry haar man en skoonma in die voorkamer sit. Hulle vra gelyk: Waar was jy gewees, Lisa?

Haar man stap na haar, sit sy arms om haar en druk haar. Hy sê: Ek het orals gebel, geen mens het jou gesien nie. Het jy dan vergeet dat jy drie maande swanger is?

Sy sê: Ek kon julle twee se gekerm nie langer vat nie. Toe gaan haal ek 'n bediende vir die huis en 'n man vir jou. Tevrede?

Mevrou van Graan sê: Jy het jou dag opgeoffer vir onse gesin. Ek hoop dit was nie verniet nie en dat hulle jou tevrede sal stel.

Noudat ek daaraan dink, Ma, sê Lisa, hulle het vir werk gevra, en het werk gekry. Maar hulle het nie gevra wat sal die loon wees nie.

Lisa my kind, sê Mevrou van Graan, eerlike werksmense is altyd skaars, dit is hulle wat nie maklik werk kry nie.

Daar is nege groot enkelkamers vir die werkers, met sinkmure en 'n sinkdak en 'n klein venster. Seele en Poppie is in die neënde struis. Almal het vir Poppie en Seele kom groet en verwelkom en daar word net vrae gevra.

Poppie sê: Ek het jare terug vir 'n Miesies van Graan gewerk, dit was op die dorp. Dalk nog familie.

Seele kyk hulle deur en dink: Hulle is mense wat die land bewerk, hulle is my soort.

Na hulle almal nag gesê het, sê Klaas, die een wat die rantsoene gebring het: Ra, ons is bly om jou hier te hê.

Seele sê: Dankie, broer.

Die aand lê hulle op die bed. Seele sê: Poppie, ek is meer tuis hier as in die dorp. Kom ons dank die Here vir waar ons nou lê.

Hulle klim af van die bed en kniel vir gebed.

Seele sê: Praat jy, Poppie.

Nie lank na die amen is altwee vas aan die slaap.

SEELE SE EERSTE DAG VAN WERK

Dit is sonop en dit woel by die volkshuise. Kinders het saam met ma en pa opgestaan. Daar is nie laatlêers nie. Elkeen weet wat om te doen. Die manne is op pad na die waenhuis. Elk met sy skotteltjie pap, met 'n groot lepel wat bo lê, alles toegemaak in 'n wit gewaste soutsaklap.

Klaas is een van die drie trekkerdrywers. Hy loop saam met Seele en vertel hom wat hy wil weet.

By die waenhuis kry hulle vir Baas Faan met sy bakkie. Hy staan en kyk hoe kom sy werksmense aangeloop.

Kan jy sien? sê Klaas vir Seele. 'n Baas wat wil oes, is voor sy werksmense by die werk en die laaste om te loop.

Klaas sê môre vir Baas Faan.

O, dis die man wat gisteraand gekom het, sê hy en kyk na Seele.

Môre, Baas, groet Seele ook.

Faan van Graan kyk vir Seele. Hy praat nie, hy dink. Na 'n tydjie sê hy: Waar het ek jou gesien?

Ek glo dit is die eerste keer wat ons bymekaarkom, my Baas.

Seele weet mense ken hom nie, hulle ken net die kol op sy linkerwang.

Ag! sê Faan ongeduldig, dit maak nie saak nie. Wat is jou naam?

Ek is Seele, my Baas.

Seele, vra Faan hom, kan jy ploeg?

Ja, Baas, maar met osse.

Nou dan ken jy seker beeste, sê Faan.

Ja, Baas, ek het grootgeword met beeste.

Mooi, sê Faan, die melkery is elke dag twee uur laat. Klaas, vat die nuwe man na die melkery en sê vir Larie hy moet hom laat melk, en vanaand moet hy my kom sê hoe dit gegaan het.

Die aand kom Larie, die melkvoorman, na die groot huis. Soos gewoonlik om die dag se melkery te rapporteer.

Faan vra hom: Hoe werk die nuwe man?

Baas, antwoord Larie, die man ken melk en hy ken die bees en die bees ken vir hom.

Faan lag. Lisa het nie verniet gery nie, sê hy vir homself.

POPPIE SE EERSTE DAG VAN WERK – DIE HERONTMOETING

Toe Poppie vertel sy gaan in die kombuis van Ounooi van Graan werk, kyk die ander vrouens vir mekaar maar sê niks nie. Hulle ken Ounooi van Graan, want hulle het al byna almal daar gewerk.

Een maak haar mond oop en sê: Sy sal ons weer vertel.

Hulle stuur 'n meisiekind saam met Poppie om haar die kombuisdeur te gaan wys. Lisa, Faan se vrou, wys haar wat om te doen. Toe Ounooi van Graan agtuur opstaan, sien sy haar huis is skoon op die Boeremanier.

Lisa! sê haar skoonma, jy meen die huis is al aan kant gemaak?

Ja, antwoord sy, kan Ma nie sien nie?

Waar is sy nou? vra Ounooi van Graan.

Ek het haar na die wasmeid gevat. Sy moet haar wys hoe om die klere skoon te was. Ma weet ek is moeg van praat.

Dit maak twee van ons, sê haar skoonma.

Poppie stap in om die skottelgoed na die ete te was. Sy sien die witman kyk haar, sy voel hoe kyk hy haar, maar neem nie notisie nie.

Hy gaan verby haar en trap op die kat se stert. Die kat miaau en gee hom 'n krap deur sy kous. Hy skrik en gaan sit op 'n stoel.

Vir Poppie was dit baie snaaks en sy gaan aan lag. Hy kyk haar met 'n aandag, en vra: Wat is jou naam?

Sy vee haar mond af asof sy die lag met haar hande afvee. Poppie, sê sy.

Hy spring op en vra: Poppie, is dit tog nie jy nie? En vergeet dat hy 'n witman is. Hy omhels haar en gee haar 'n soen vol op haar mond. Hy sê: Ek is Faan, onthou jy my nie meer nie?

Poppie omhels hom teer en gee hom 'n moederlike soen op sy voorkop. So staan hulle vir 'n paar sekondes, toe laat val hulle hul arms.

Altwee kyk verbaas: Het iemand hulle nie gesien nie? Net soos twee stout kinders.

Toe neem Faan Poppie se hand en roep: Ma, Ma, Ma! soos hy vir Poppie na die voorkamer toe trek. Ken Ma wie is dié?

Poppie gee 'n skaam glimlag. Die Ounooi sit op die rusbank, sy kan nie maklik opstaan nie. My Meid, sê sy, my Meid, waar was jy gewees? Kom sit hier by jou Miesies, en sy klop met haar hand langsaan die kussing.

Die Ounooi sit met Poppie se hand op haar skoot, in haar hand. Poppie, my Meid, sê sy, vertel my alles.

En Poppie vertel. Poppie vertel van haar troue. Poppie vertel van die ploeglande en beeste. Poppie vertel van die droogte en sit haar hand op haar mond – haar manier van dink. Sy sê: My Miesies, ons het alles verloor. Toe, vol heimwee en verdriet: En honger gely.

Faan sit en luister asof sy 'n verlore skaap is wat teruggekom het.

Poppie sê: My Jong se naam is Seele. En soos dit baie se gewoonte is as hulle Seele sê, druk sy met 'n vinger op die linkerwang.

O! dit is hy! sê Faan. Nou kom dit terug. By die speelpark het hy die bottel vol water gemaak toe ek nog kind was. Dit is waar ek hom gesien het, sê hy vir Lisa.

Sy ma sê: Poppie, is dit tog nie hy nie wat jou voor die meule wou vry nie?

Ja, Oumiesies, antwoord sy, dit is net hy.

Lisa sê: Dit is ek wat vir haar opgetel het en gebring het. Moenie dit vergeet nie.

Ek sê dankie, Mies Lisa, sê Poppie met haar hande gevou in gebed. As die nuwe Van Graan kom, sal ek net so mooi agter hom kyk soos ek agter Baas Faan gekyk het. Ek sê weer dankie vir die werk, Mies Lisa. Die Here sal jou seën. Sy maak haar hande oop en vee die trane van haar wange af.

Oumies van Graan sê: Na jy weg is, Poppie, verloor ek my man. Ek vat toe my kinders en kom bly op Platrug by my pa. Pa is na 'n jaar ook oorlede en ek – sy enigste dogter – erf die plaas. Frikkie, Faan se broer, woon in Bloemfontein, hy wil niks met 'n plaas te doen hê nie.

Die Oumies wil opstaan, maar kan nie. Faan vat sy ma se hand en trek haar op.

Sy sê: Kom, Poppie, dit is genoeg vir dié dag, kom, ek stap saam.

Lisa kyk hoe vat haar skoonmoeder die meid se hand en stap met haar 'n ent na die volkshuise. Iets wat Lisa nie gewoond is nie . . .

Die aand sit hulle drie in die voorkamer. Nie een praat nie. Hulle dink ook nie. In die stilte van liefde sit hulle. Oumies van Graan sê die woorde voordat hulle opstaan: Werk is edel, werk is na aan God, God is liefde en Poppie pas daarin.

DIE DAE, DAN MAANDE, LOOP AAN

So het dit aangegaan, aangegaan op die plaas Platrug. Ploeg, saai, oes. Die dae word langer dan weer korter. Die maande loop met vreugde en teleurstelling deurmekaar geskommel.

Faan van Graan het vir Seele van die melkery weggeneem met die woorde: Hy hoes sy kieme in die melk. Sy nuwe werk is hy moet agter die plaas se gereedskap kyk en saam met Faan dorp toe ry. Hy is my boytjie, sê Faan, en as hy hom soek, vra hy: Waar is my boytjie?

Seele het dit maar gesluk.

Poppie het sewe dae 'n week gewerk. En elke dag na middagete se skottelgoed was, het sy afgekry tot vyfuur, en weer aangehou tot na aandete.

Hulle kinders, Dawid en Wela, kom gereeld elke einde van die maand. Hulle kom hulle onderhoud haal – soos Oupa Mosiane hulle geleer het. Dan slaap hulle oor en vat die bus weer terug die volgende dag. Seele en sy vrou sien hoe word hulle groot by die maand en is dankbaar.

Poppie bring haar lewe deur in twee verskillende wêrelde. Die een waar alles blink is en volop en gemak deel van die lewe is. Sy werk nog asof haar werk 'n kuns is, met hande wat die liggaam nie moeg maak nie. Die ander wêreld is 'n sinkhuis met 'n misvloer met dun gegolfde sinkmure wat die koue en die hitte uit die kamer moet hou. Hier moet sy ook werk, die vloer met mis smeer en uitvee met 'n krom rug en 'n grasbesem. Maar dié deel van hulle twee se lewe maak sy gelukkig om haar man se hart te steel en om hom die lewe te laat geniet.

Poppie sorg dat Seele Sondae sy bojalwa het om te drink. Sondae is die Vrydae van die volk, so het hulle gesê. Sondae het Seele nooit 'n tekort aan vriende gehad nie. En met die gedagte aan die Moruti Cowboy, sing Seele en sy gaste saam: Go monate go pholosiwa - It is good to be saved – en snaaks, het die mense gesê, dit is al tyd wanneer Seele nie hoes nie.

GEBOORTE EN DOOD IN DIE GROOTHUIS

Toe kry Lisa 'n babaseun.

Die vreugde van die mense wat in die groothuis woon, het vir die werkersvolk 'n partytjie besorg. Dis die derde geslag met die naam Faan van Graan. Die kind het nou vir Isabel van Graan ouma gemaak en sy is baie opgewonde. Faan, sy pa, loop rond soos 'n arm kind wat 'n stokkielekker gekry het.

Poppie se hande is vol, sy kry nie meer die namiddag af nie.

Lisa het die vroumense van die volk gevra om iemand te stuur om in die groothuis te werk. Sy kry die antwoord: Ons wil nie in die groothuis werk nie, maar ons sal vir Ousus Poppie kom help.

Die tyd het aangeloop en klein Faan was al mooi groot, toe Ouma van Graan eendag begin kla van 'n pyn in haar sy. Sy wil nie hê Lisa moet haar dokter toe neem nie. Sy verbruik een boereraat na die ander. Niks help nie. As haar slaapkamerdeur toe is, hoor niemand haar kreune nie.

Poppie gaan nou laat huis toe. Die ouvrou wil nie hê sy moet loop nie. Sy loop wanneer Oumiesies van Graan slaap, die lig afgeskakel is en die deur saggies toegemaak is.

Sondae het Poppie later werk toe gegaan, want die groothuis se mense het dan later opgestaan. Een Sondag gee sy vir almal koffie in die bed en sien haar Oumiesies slaap nog. Sy sit die koffie voor die bed neer en gaan aan met die huiswerk. Nou en dan loer sy of die koffie klaar gedrink is. Die Ounooi slaap lekker, sien sy.

Poppie gaan haal die koffie en bring 'n ander warme koppie koffie. Oumies van Graan lê nog met haar gesig teen die muur. Poppie sit haar hand op haar skouer: Miesies, Miesies, skud sy haar.

Sy gaan uit en kry vir Faan. Faan vra: Hoe gaan dit met my ma?

Poppie antwoord: Ek weet nie, my Oumiesies slaap so vas.

Faan gaan in die kamer in om sy ma wakker te maak. Hy draai haar om en sien sy ma is lewensloos. Hy bel vir Dokter Potgieter, maar toe hy daar kom, sê hy dis alles oor. Hy teken die doodsertifikaat: giftige blindederm, sê hy.

LISA VERANDER

Die begrafnis is verby.

Daar is prate dat Poppie se naam in die boedel is. Poppie weet nie hiervan nie, en het geen gedagte of wens daaraan nie.

Lisa hou niks van dié dinge nie. Nog minder van die manier waarop Faan met Poppie praat. Sy is 'n bediende, sê Lisa, en jy moet haar op haar plek hou.

Ek hou haar op haar plek, sê Faan. Dit is net dat ek op 'n beskaafde manier met haar praat, my liefie, verduidelik Faan.

Ja, maar jy is te intiem, vermaan Lisa. Sy vat klein Faan se handjie en gooi die kamerdeur toe.

Lisa se wrok teen Poppie word sterker by die dag en sy praat nie meer mooi met Poppie nie. Dit is net jy en jou asof sy 'n dier is. Net oor haar man vir Poppie op 'n menslike manier behandel – vir haar, die een wat sy stêre skoongehou het, vir hom kos gevoer en sy gesig afgevee het. Sy, Poppie, wat elke kol of merk op sy liggaam geken het.

As Faan vir Lisa iets vra, sê sy: Vra die meid. Poppie kan nie te veel met klein Faan speel nie. Sy word gesê: Maak net die kleinbaas se bas skoon. As die kind nog by Poppie staan, gryp sy hom en sê: Jy sal 'n ma se liefde ken, nie 'n bediende se vatterigheid nie.

Lisa wil vir Poppie uit die pad hê. Dit is net die huiswerk – as sy daaroor dink, laat dit haar gedagte verander. Sy sê vir haarself: Ek moes haar by die winkel laat staan het. Lisa begin 'n jaloesie opbou en sy begin haar man dophou, of saggies inkom waar hulle is, om iets te hoor wat sy op kan bou in haar verbeelding.

Die werkersvolk het vir Lisa die naam Miskruier gegee omdat haar bolyf langer as haar bene was. In Poppie se gedagtes was sy niks anders as 'n miskruier nie.

Arme Mevrou Lisa van Graan, die apartheid wat nou aan die kom was, het haar al klaar aangesteek. Nie dat sy dit geweet het nie.

LISA EN POPPIE KRY WOORDE

Dit was die Vrydag, die dag toe Dawid en Wela gekom het om die skoolvakansie by hulle ouers deur te bring. In haar loop na die volkshuise klop Poppie se hart kwaai in haar binneste. En sy sê vir haarself: Hierdie naweek gaan ek nie werk nie, ek gaan dit saam met my kinders deurbring. Te hel met daai Miskruier!

Dié aand vertel Poppie vir Seele van die woorde wat sy en Lisa gehad het. Maar sy stuur eers vir Dawid en Wela om te gaan speel.

Poppie het nie vir Whitey, die klein hond wat in die huis grootgeword het, raak gesien nie. Dit is Lisa se hond, en klein Faan is baie lief vir hom. Poppie trap per ongeluk op die hond se poot. Die mens-dier-hond – toe sy haar miesies sien, sit sy 'n groot hondelawaai op.

Lisa raas met Poppie daaroor en toe is sy sommer woedend. Sy skel haar uit en sy eindig met: Jou vel is swart oor jy in die rook van die hel gestaan het.

Poppie het haar respek en onderdanigheid vir Lisa verloor, en sy antwoord vir haar sonder vrees: Jy, Lisa, het daar saam met my gestaan. En jou hart het pikswart gebly.

Lisa kyk haar verbaas en ontwaardig aan: Uit, uit my huis, jou vuilgoed, swernoot!

Dis toe wat Poppie so vinnig as wat sy kan uit die huis loop.

Die aand sê Lisa vir Faan: Jou meid wou my geklap het.

Faan sê: Ek glo dit nie, maar môre sal ek met haar praat. Hy gee haar 'n soen en sê: Jy kom altyd eerste, my liefie.

DIE LEKKER NAWEEK

Toe Poppie klaar gepraat het, sê Seele: Poppie, nou het ek baie seer gekry. Is dit tog nie die dank wat die Miskruier jou gee nie? Omdat jy haar man grootgemaak het. Ek is haar man se boy, ek, 'n gryskop wat in sy oë jonger as sy kind is.

Ag! Laat ons dit laat staan, my Jong, troos Poppie. Sy weet die hoes hou nie op as hy ontsteld is nie.

Seele vertel: Dawid sê onse huis se sink is van die dak af gesteel. Dit is onse eie mense se werk – goed en sleg is deel van al die mense. Die kleur van die vel het niks met dit te doen nie. Dit is wat die Moruti Cowboy gesê het. Onthou jy nog, Poppie?

Ja, my Jong. Poppie draai die geselskap om en sê: Vanaand eet ons brood van die dorp en drink Coca Cola.

Die vier Moagi's se vreugde in die bymekaarkom verander die aand in een van die mooiste wat hulle nog gehad het.

Oupa Mosiane het ook vir Poppie se man – so noem Oupa Mosiane hom altyd – 'n paar blikkies bier gestuur. Die aand het die sinkherberg gedreun van Moruti Cowboy se tentkerkliedjies.

So is die naweek die Sondagnamidag afgesluit met hulle waardige vriende wat saam kom sing en – soos die ander gesê het – saam kom geraas maak het.

SEELE RY SAAM DORP TOE

Die mense in die groothuis vra nie waar Poppie is nie, of waarom sy nie al by die werk is nie. Lisa sit met die idee: Daar is ander en beter visse in die see om te vang.

Dit het gereent, alles is nat en koud hierdie eerste Maandag in Julie. Die beeste word aangejaag na die vendusiekrale op Mafeking. Dit is die middeljaar se uitverkoping.

Faan gaan met sy bakkie dorp toe en sê vir Seele: Klim op, my Boy.

Die beeste van Platrug word laatmiddag in die veilingkraal gejaag. Die dag is verby. Faan moet wag vir môre se veiling. Hy stuur die herders terug plaas toe met sy buurman se lorrie met die woorde: Daar is werk op die plaas, julle kan nie hier lê nie.

Daar is 'n paar jong boere bymekaar en Faan is een van hulle. Hulle geniet dit in die kroeg. Faan sê vir 'n maat: My bakkie is veilig vanaand want my boy kyk daarna. Hy dink nie dat Seele nie geëet het nie en sonder 'n kombers is nie. Hy gaan sluit die bakkie se deure sonder 'n woord. Hy dink: My boy kan agterop slaap. Hy bel vir Lisa en bespreek 'n kamer vir die nag in die hotel. Die volgende dag moet die beeste nog verkoop word.

Dié nag slaap Seele agterop die bakkie, met net twee goiingsakke vir 'n kombers. Hy slaap nie, hy lê nie wakker nie, hy weet nie waar hy is nie, dis so koud. Tussenin dink hy aan sy Poppie. Dit is die heel eerste nag van hulle getroude lewe dat hulle weg van mekaar af slaap. Dit raak hom in sy diepste aan. En so, met die liefde se gedagtes, oorkom hy die koue van die nag.

Op Platrug in die volkshuisie is die kinders aan die slaap. Hulle slaap al lankal. Die vuur is amper uitgebrand. Die kamer begin weer koud word.

Poppie lê nog wakker met haar klere aan en verbeel haar sy hoor Seele se hoes, sy winternaghoes. Die hoes wat deel van haar lewe is.

Sy staan op en gaan buitekant nog kole haal en gooi dit op die amper uitgebrande kole in die ghellie. Sy stook die vuur en nie lank daarna nie is sy aan die slaap.

TERUG NA PLATRUG

Die veiling is oor. Faan is gelukkig, sy beeste het goed verkoop. Seele is dankbaar vir die dag se lig, dit verminder die koue wat deur sy liggaam getrek het.

Faan sê: Klim, my Boy, en hy sluit die deur oop.

Seele kan sy tande nie stilhou nie. Sy baas praat nie. Seele se liggaam steel van Faan se warmte en hy raak maklik aan die slaap.

Faan hou stil by die groothuis en sê: Word wakker, my Boy, wat's jy so aan die slaap?

Seele klim uit. Daar is niks om af te laai nie. Sy bene is styf, asof sy knieë se olie gevries is, en hy sweet van binne af.

Lisa kom uitgestorm uit die groothuis, rooi van woede. Sy skree: Waar is daardie vuilgatvrou van jou? Waarom is sy nie in die werk nie?

Ek weet nie, Mies Lisa, ek het nou net met Baas Faan gekom, ek sal gaan kyk waar sy is, antwoord Seele gedweë.

Hy loop, maar die nag se koue het jare uit sy liggaam gesuig. Hy sê vir homself: As ek net vir Poppie sien, is ek weer reg.

Seele vind sy herberg se deur toe. Hy vra die mense: Waar is my vrou en kinders?

Hulle weet nie. Snaaks, hulle het nog nie vir haar en die kinders gesien nie, antwoord hulle.

Seele hoor die bus van die plaashek wegtrek. Dan is Poppie en die kinders seker in daai bus dorp toe, troos hy homself. Hy onthou hoe kwaad Poppie was oor die woorde wat sy en die Miskruier gehad het.

Seele gaan terug na die groothuis en bly staan voor die kombuisdeur. Die hond Whitey blaf en Lisa van Graan kom kyk wat dit is. Sy sien vir Seele daar staan en voordat hy sy mond kon oopmaak, skree sy: As jy en jou slegte vrou nie môre van Platrug af weg is nie, skiet ek julle af. Laat ek julle sommer klaar betaal.

Seele staan. Sy gedagte wil nie werk nie. Verstom kyk hy die kombuisdeur in.

Lisa kom en gooi 'n tienrandnoot op die vloer. Dê, en weg is jy.

Seele tel die tienrandnoot op. Hy loop weg en sê lankmoedig: Here, waar is Jy?

Hy gaan sit op die eerste klip op pad na die volkshuise. Hy sit met sy hande oor sy ore, asof hy nie wil hoor wat hy dink nie.

Mettertyd sê hy: My Poppie het weggehardloop in daai bus. Kan dit waar is?

Die liefde vir sy gesin laat hom opstaan en maak die olie in sy knieë warm en hy loop asof hy niks makeer nie. Hy word opgewonde en sê: Hoe kan die deur toe is van binne? Hulle is daar. Ek gaan hulle net wakker klop.

Hy kom by die deur. Hy klop, klop en klop. Daar is geen antwoord nie, nie eers 'n slaapasem kan hy hoor nie. Hy gee die deur 'n stamp, en nog een, toe kan hy dit oopstoot.

DIE DEUR IS OOP

Seele kyk binne en glo nie sy oë nie. Sy vrou en kinders slaap nog!

Hy kyk weer en vra vir homself: Waarom het Poppie haar slaaprok nie aan nie – en sy het ook nie haar skoene uitgetrek nie. Die kinders is ook vas aan die slaap. Hy skud haar en soebat: Poppie, word wakker, Poppie word wakker. Dit is al namiddag. Word wakker. Moenie speel nie.

Die dood het nog nie in sy gedagte ingeklim nie. Hy sê: Nou waar het hulle bier gekry om so dronk te word? Hy vat 'n beker water uit die wateremmer en gooi dit oor Poppie se gesig. Seele dink: Ek sal haar eers wakker maak, dan kan sy my vertel wat gebeur het. Hy vee die water van haar nat gesig af en dink: Aai, maar sy is mooi in haar slaap. Toe draai hy vir Dawid om en sien sy oë is oop soos 'n mens wat wakker is. Hy probeer sy oë toedruk. Hy kan nie. Hy sien Dawid se liggaam is styf.

Dood, dood, dood, hoor Seele sy gedagte sê, maar hy glo dit nie.

Seele hardloop uit en roep die mense – al sy ditsala, sy vriende, wat altyd saamgesing het.

My mense! Dis my mense! skree hy. Hulle slaap en ek kan hulle nie wakker kry nie.

Die ander mense het net begin om van die werk af te kom. Hulle gaan kyk of dit waar is. Hulle is nie gewoond om mense in die lewe te sien en die volgende dag in die dood nie.

'n Ouma gaan in, sy kom uit en sê vir Seele: Jammer, Seele, hulle is almal dood, en sy wys met haar vinger na die ghellie, dié wat hulle "mpaolo" noem. Die koolgas het hulle vergas.

Seele glo dit is so, want almal weet dat die ghellie se kole goed uitgebrand moet wees voordat dit die kamer ingebring word. Anders is die gas dodelik. Seele loop om en om sy kamerhuis. Hy kan nie dink nie, nog minder kan hy stilstaan.

Hy gaan terug na die groothuis. Dit is skemer. Hy staan met sy hoed in sy hand en klop aan die kombuis se gaasdeur.

Whitey blaf.

Lisa kom kyk en vra: Wat wil jy hê?

Hy antwoord: My Poppie is dood, my Miesies.

Sonder om te dink of om weer te vra wat sê hy, skree Lisa: Julle kan almal vrek.

Faan vra uit die kamer: Wie is dit, Lisa?

Dit is jou boy, sê sy.

Sê hy moet môre kom, wat dit ook al mag wees, antwoord Faan.

Met dié slaan Lisa die kombuisdeur toe.

Ek verstaan nie, maal dit in Seele se kop toe hy sy hoed op sy kop druk en wegloop. Hoe kan die liefde van 'n wit kind vir sy bediende die oorsaak is van die goddelose haat van die kind se vrou? Poppie, Poppie. Ek moet hier weg.

Seele leen 'n fiets sonder om 'n woord te sê. Alleen ry hy. Hy dink: Ek gaan hier weg, maar nie sonder my familie nie. Dood of lewendig.

Die gedagte hulle slaap miskien, ontstel hom en hy wil omdraai om seker te maak. Dan kom die ghellie se gedagte weer by hom op en hy aanvaar dit is so.

Seele ry na die Indiër se winkel, twee plase van Platrug af.

Hy vra vir Allie, die winkelier: Hoeveel sal jy my vra om my familie en huisraad na Mafeking toe te neem?

Neëntig kilometer, sê Allie met 'n blink in sy oë, dit sal tien rand wees. Betaal vooruit.

Seele gee vir Allie die tienrandnoot wat Lisa van Graan na hom gegooi het. Allie trek sy groot trok uit en Seele laai die fiets agter op die trok.

By die volkshuise wag die mense vir Seele. Hulle weet nie waarheen hy gegaan het nie.

Terug by sy herberg met Allie se trok, sê Seele vir Allie van die dood van sy mense.

Allie dink: Ek sal sien en niks praat nie.

Seele praat met homself en sê: My Poppie het altyd vir Jesus in haar hart gehad en was nooit 'n lui mens nie. Sy was weggejaag van die plaas soos 'n hond. Ek sal nooit dat my mense hier begrawe word nie. Poppie, ons gaan dié wat lewe en dié wat dood is, saam Mafeking toe vat.

Seele skud sy kop en druk sy ore toe.

Modimo, Modimo, bid hy.

Na alles wat aan hom behoort, op die trok gelaai is, en die lyke van sy gesin toegedraai is in komberse, sê hy vir Oom Josef, een van die ou mense: Ek gaan vir Oom die vark gee wat ek vetgemaak het vir Krismis. Dié wat ek vir my skoonpa wou gegee het. Want ek weet Allie sal nooit die vark op sy trok laai nie. En nog minder sal ek 'n vark saam met my geliefdes sit.

TERUG HUIS TOE

Dit is vroegaand, en die sterre sien alles van bo af. Allie sit agter die stuurwiel en dit neem tyd voordat hy wegtrek.

Die plaaswerkers van Platrug staan almal om die trok. Almal huil, almal wil vir Seele houvas, asof hulle nie wil hê hy moet weggaan nie.

Hulle deel die pyn van sy verlies met hom. Plaaswerkers van die omgewing het gekom kyk of dit waar is, en om hul meegevoelens te deel.

Die smart en die meegevoelens van sy naastes het vir Seele oorrompel. Hy gaan sit op 'n klip, sy elmboë op sy knieë, en maak sy ore toe. Hy huil bitterlik saam met die mense.

Allie vat Seele se hand en trek hom op. Hy sê: Dit word laat, ons moet ry.

Allie laat Seele eers in die trok klim en hy sluit die deur. Toe trek die trok stadig weg. Die mense loop agter die trok en langs die sye. Allie sit met sy wit gebreide toppie op sy kop en bestuur die trok so stadig as wat hy kan.

Eerbiedig, respekvol ry hy sodat die agterlopers kan bybly.

By die plaashek bly die trok staan, en om hom al die mense. Vir die laaste groet. Daar is nie een wat nie huil nie. Dan kyk hulle totdat die trok met sy grusame vrag onder hulle oë uit begin beweeg.

Woordeloos stap hulle in die stille, donker, jonk-koue aand terug en gaan soek 'n bietjie lewenshitte by 'n ghellie vol kole.

OP DIE GROOTPAD

Op die grootpad na Mafeking was daar min om te sê. Seele begin nou sagter en sagter te huil, en snik die woorde uit: Modimo, Modimo, skud hy sy kop stadig asof om te sê: Nee, nee, my God.

Naby die dorp raak Seele eindelik aan die slaap. Die vorige aand het hy amper nie geslaap nie, en nou klim die nag se kouekoors sy liggaam in.

In die stilte vra Allie skierlik: Seele, Seele, sê my waarom het die gas van die ghellie jou nie ook doodgemaak nie?

Seele skrik wakker. Ek was nie met my vrou en kinders nie, sê hy. Dit sou beter gewees het, dan het ek nou saam met hulle geslaap om nooit weer wakker te word nie.

Jy sê jy het ander plek geslaap? Allie wou nie vra of Seele met sy nyatsi – sy meisie – geslaap het nie.

Ja, sê Seele, ek het in Mafeking geslaap laasnag. Ek het met Baas Faan dorp toe gegaan. Donker kom hy uit die kroeg en sê hy gaan nie terug plaas toe nie. Ek moet maar agter op die bakkie slaap.

Wat sê jy, Seele? Het jy regtig agter op die bakkie geslaap laasnag?

Ja, Allie, antwoord hy.

Allie slaan Seele se knie met sy linkerhand en sê: Allah was saam met jou, my vriend. Laasnag was die koudste nag van die jaar, het die radio vanmôre verkondig.

Allah is jou God.

Ja, sê Allie, en ook joune en almal se God. Daar is net een God en dit is Allah.

Ja, beaam Seele, ek kan verstaan dat jy so sê, maar dan verstaan ek ook weer nie. Is dieselfde God dan goed en sleg?

Allie wou nie antwoord nie, hy wou eers daaroor dink dat Seele sê God gee die goed en God gee die sleg.

Toe sê Seele: Draai links, dit is die derde huis.

BY SY SKOONPA SE HUIS

So onverwags gebeur dit wat nie verwag word nie. Seele se skoonma is verheug om hom te sien. Hy groet haar met trane wat oor sy wange rol. Hy omhels haar – en sy verstaan dit nie! Sy gemoed loop oor, en hy gaan agter die huis in. Hy wil nie meer die trok en die inhoud sien nie.

Seele se skoonpa, Sersant Mosiane, kom uit die huis en vra: Wat gaan aan? Wat is verkeerd?

Allie trek die ouman nader na die trok en wys die lyke wat in komberse toegerol is, en sê met simpatie: Sy vrou en kinders.

Die ouman vra: Is dit almal van hulle, sy vrou en sy twee kinders?

Ja, beaam Allie.

Ouma Mosiane staan langs haar man. Allie vang haar net betyds toe sy inmekaarsak. Hulle neem die ouvrou in die huis, en 'n verpleegster, 'n lid van die familie, behandel haar.

Die mense het begin nader kom, en met 'n flits kyk hulle die lyke en sê: Dit is so.

Hulle help vir Seele sy huisraad aflaai en sit dit teen die muur.

Sersant Mosiane staan met sy arms teen die trok se bak. Hy kyk. Hy dink. Net hy sal weet wat hy gedink het.

HULLE GAAN NA DIE POELIESSTASIE

Sersant Mosiane vryf sy oë met sy hand. Hy gaan in die huis en kom uit met sy groot jas aangetrek. Hy stap na die trok en sê: Kom julle twee.

Sersant Mosiane wys vir Allie die pad na die poeliesstasie. Daar vertel Seele vir die poelieskommandant wat gebeur het.

Sy skoonpa staan by, hy hoor wat hy nie wil hoor nie, maar wat hy moet hoor. Na Seele sy verklaring afgelê het, neem die poeliesman die sleutels. Hy wil vir Seele gaan toesluit.

Die ouman keer en sê vir die poeliesman: Julle ken my, wie ek is?

Ja, antwoord die poeliesman. Ra Sersant Mosiane.

Wel, sê die ouman, hy is my dogter se man, die man van die ma van sy twee kinders. Ek glo wat hy gesê het. Gee my die vorms dat ek dit teken. Ek gee julle my woord dat hy, Seele Moagi, in my bewaring geplaas is.

Die poeliesbakkie ry voor. Allie kom agterna, hulle is op pad na die regering se lykhuis.

Die liggame word afgelaai by die dodehuis. Allie stop weer voor Ra Mosiane se huis. Seele en sy skoonpa klim uit die trok.

Allie klim uit, sit sy hand in sy sak en haal die tien rand uit. Vat dit, Oupa, asseblief, sê hy.

Hy klim in sy trok en ry terug na sy winkel.

Die volgende dag toe die lykskouing verby is, gaan haal Sersant Mosiane die doodsertifikaat. Kooldioksiedvergifting is die oorsaak van die dode.

Die ouman is tevrede dat sy kinders nie vermoor is nie.

Die volgende dag hoor Faan van Graan dat Seele sy familie verloor het en dat hy die lyke en al sy goed na Mafeking toe geneem het.

Hy kry vir Oom Josef en sê: Kom saam met my, Josef.

Na hy tevrede is dat niemand kon hoor nie, vra hy: Is dit waar, Josef?

Oom Josef antwoord: Dit is so, Baas Faan.

Oom Josef het agterna gesê, Baas Faan het net gesê: Poppie, my arme Poppie, asof hy met 'n toe mond praat. Sy oë was vol water, hy het sy sakdoek uit sy sak gehaal en sy oë afgevee. En hy sê: Sy was nie 'n meid gewees nie. Hy gooi sy oë op na die hemel, asof daar iemand is wat hy daar sien, en sê treurig: Poppie het my grootgemaak met liefde. Toe skop hy sy voet hard teen 'n klip en loop die veld in.

Sy het my skoongemaak, dink Faan, my gekielie laat ek lag, sy het my siektes met my gedeel. Ek het haar gesoen en sy mag my nie gesoen het nie.

Na hy hoe lank geloop het, draai hy om en loop terug groothuis toe. Hy kyk en sê vir homself: Daar staan my vrou, sy wonder wat maak ek hier tussen die doringbome. En hy tel sy vrou se gedagte op: Dink Faan tog nie aan sy kindermeid nie!

Hy verander sy pas na dié van die Baas van die Plaas.

Later sê hy vir Lisa: Gaan wys jou meegevoel met die plaas se volk.

Sy gaan staan voor wat Seele en Poppie se herberg gewees het. Die mense kom almal nader. Daar is nie 'n woord wat gesê word nie. Sy kyk in die leë kamer in, en trek haar neus op, asof sy iets ruik wat nie na haar sin is nie.

Toe gaan sy na die waterkraan net langsaan die kamer en was haar hande. Sy skud die water af en loop terug na die groothuis.

DIE BEGRAFNIS

Sersant Mosiane en Ma Mosiane was welbekende inwoners van Lomanyane. Dit was 'n groot begrafnis, want die hartseer was groot. Die kerkhof was te klein vir al die mense, party moes buitekant die draad staan.

Seele se skoonma en sy skoonpa was kwaad-jammer of jammer-kwaad vir Seele – vir die groot verlies wat hulle gely het. Of hy nou daarvoor kon gehelp het of nie.

Michael, Poppie se broer, was ook skierlik daar – met sy nuwe spogkar, en 'n vrou net so grênd soos die Mercedes Benz.

Hoe die lewe draai: Dit is op sy arm, Michael se arm, waar Seele sy kop gerus het na hy nie meer kon ween nie.

DIE PAADJIE LOOP DOOD

Die siekte van die hoes kruip nou vinnig in soos 'n luis wat loer of die kers uitgebrand is. Kos en medisyne verleng nie meer Seele se hoop om te lewe nie. Dit is net die gebarste sweer in sy hart wat sy gedagte aan die lewe hou. Dis sy onverdiende vonnis en hy kan dit nie verander nie.

Die derde dag na die begrafnis – hy is alleen – gaan lê Seele in Dawid se kamer op die bed. Hy is nie 'n man van gebed nie, en die woorde wat uit sy binneste kom, kom diep uit die Seele wat nog oorgebly het.

Modimo, Modimo, smeek hy, vergewe my as ek vir Poppie seer gemaak het.

Seele se oë skyn soos dié van 'n baba wat nog tet kry – sienloos.

Die koue nag, die nag van die dood se koue, dié verander nou soos die naald van 'n dokter 'n siekte verander. Dit verander die koue in 'n warmte. Sy liggaam is warm, dit sweet, die sweet se water tap uit hom, dit steel sy laaste bietjie krag. Hy sê vir homself: Is dit die prys van my bogadi? Moet ek dan so lank gewerk het vir my Poppie se liefde? En waar is dié nou?

Die hoes druk hom, dit druk, dit lyk asof sy kop-are wil bars. Hy moet nou opstaan en buitentoe gaan, want met die hoes kom die rooi stukke van sy longe wat hy moet uitspuug.

Dit is die vierde nag na die begrafnis. Poppie se pa en ma lê wakker, hulle is nie die hoes van Seele gewoond nie. Hulle hoor hoe hoes, hoes, hoes hy. Soos 'n trein wat vêr, vêr en al verder wegtrek.

Dan die stilte.

In die stilte raak die twee oumense aan die slaap.

Die volgende oggend stuur Ma Mosiane 'n seun met 'n bottel hoesmedisyne en 'n lepel na Seele in Dawid se kamer. Sê vir Seele hy moet dié drink, sê sy vir die seun.

Die seun kom terug en sê: Ma, ek gaan binne en kry vir Ra Seele vas aan die slaap. Hy wil nie wakker word nie. Kom kyk self.

Ma Mosiane gaan kyk – kan dit dan waar wees?

Die bure kom ook om seker te maak. Dit is so, sê hulle saggies.

So het hulle vir Seele gekry lê op die bed: gekleed en met sy skoene aan. Sy hand oor die Bybel asof hy dit net klaar gelees het en aan die slaap geraak het.

Sy skoonma vat die Bybel onder sy hande uit en lees vir die mense wat daar staan – met oë wat flikker en die wit van die oogbol laat skyn. Vir hulle lees sy: Kom na my toe, almal wat bemoeid en belas is, en Ek sal julle rus gee.

Sy maak die Bybel toe.

Snaaks, Seele kon nie gelees het nie, sê sy.

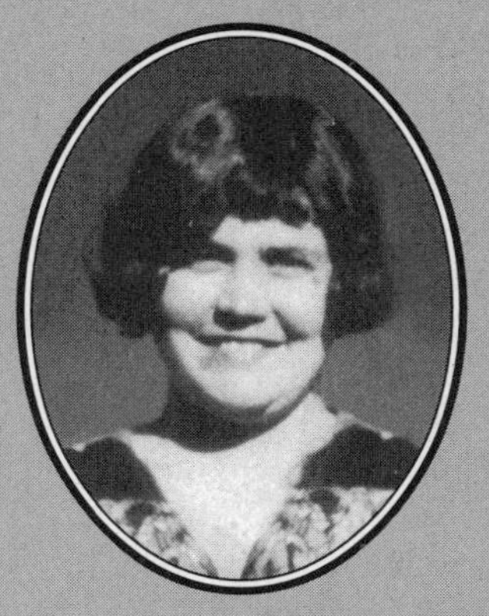

MURIEL GROWÉ
6/8/1928 – 5/6/1975

Rut 1:16

Moenie by my aandring dat ek u moet verlaat om agter u om te draai nie; want waar u gaan, sal ek gaan; en waar u vertoef, sal ek vertoef; u volk is my volk, en u God is my God. Waar u sterwe, sal ek sterwe en daar begrawe word!

MURIEL GROWÉ

Dié is Muriel Growé. 'n Sestien jaar oue meisie. Haar oë is heldergroen kolle in spierwit oogappels, onder twee dun swart oogbroue. Haar neus is liggies ingedruk soos 'n halfmaan wat skep. Vol lippe en wange wat die bloed laat deurskyn, asof dit warm geklap is. Maak sy haar mond oop, sien jy 'n tand wat skeef gegroei het – mooi natuurlik. Praat sy, dan kyk jy daai tand. Kyk haar van dié kant, sien jy 'n ken, amper rond, asof dit die gesig balanseer. Kyk jy weer voor, sien jy die swartste Prins Valiant-haarstyl. Sy het 'n vel soos ivoor waarop die maan skyn. Dis Muriel dié.

Haar lag is vrolik en dit skud haar twee puntborste. 'n Glimlag is haar groet – al sê die mense sy is te lui om haar bek oop te maak. Muriel se stem is al wat nie inpas nie. Soos iets wat nog binne huil. Sy praat amper nie, asof sy bang is 'n geheim sal verklap word. Die lewe het haar geleer om te dink voordat sy haar mond oopmaak. Kom sy aangestap met haar vriendinne, sien jy haar loop steek uit by dié van die ander – 'n natuurlike swaai, wat die mans laat omkyk.

Nou het jy vir Muriel gesien!

IN DIE TOU VIR GELD

So het die vrouens haar bekyk, elke einde van die maand terwyl hulle in die tou moes staan vir hul mans se toelae.

Die meeste van hulle het geweet waarom sy, en nie haar ma, haar pa se geld kom vat nie.

Die vroumense het daar in die tou gestaan met die gedagte: Hulle – ons manne – is in die Noorde van Afrika. Elkeen 'n held in ons harte. En ons hoop en kyk uit vir hul tuiskoms. Party mans het gegaan – soos dit uitgelate verkondig was – for King and Country. Ander, soos Muriel se pa, het gegaan omdat dit al kans was om vir sy familie te sôre.

Daar is altyd meer vroumense wat 'n mooi vrou haat, as wat van haar goed praat. In die tou gesels party wit vrouens hardop sodat almal moet hoor. Openlik, sonder skaamte oor Muriel.

Muriel hoor, dan tob sy oor wat sy gehoor het. Soos 'n kind wat in 'n skoolbank sit en moet luister, al verstaan sy nog nie wat sy gehoor het nie. Dit gee vir haar twee lewens, twee ondervindings op een dag. Een om vir haar geld, wat haar regverdig toekom, in die tou te wag saam met wit vrouens. Dan weer iets heeltemal anders as sy instap in haar ma se huis. Soos dit gesê is – in die bruin lokasie – om haar ma se man, haar pa, se geld af te gee.

Snaaks, sê sy vir haar ma, Mammie, hierdie mense kyk neer op my. Alhoewel ek hulle niks gemaak het nie.

Kind, antwoord Aletta Growé, dis my man, en dis sy geëgte kind wat die geld kom haal.

HULLE VERLOOR DIE BROODWINNER

Na die slagting by Sidi Rezegh kry Mevrou Aletta Growé die eerste telegram in haar lewe:

Manskap Vincent Growé - nommer 978143 - gesneuwel.

Sulke eenvoudige woorde, so swaar om te glo en te aanvaar. Ma en dogter huil saam. Daar is niemand anders om hulle te troos nie. Hulle moet hulle net uithuil.

Hy, my Vincent, was eers net weg van die huis, sê Aletta vir Muriel. Maar nou is jou pa vir altyd weg, my kind, prewel sy droewig. Tog, om te huil oor 'n dooie liggaam en om te huil met 'n telegram in die hand, is nie dieselfde nie. Hoop is steeds nie uitgesluit nie.

So redeneer ma en dogter vir dae aaneen. Kos het nie meer smaak vir hulle nie, net water wat die dors les.

Miskien is daar 'n fout begaan. Miskien lewe Pappa nog, troos Muriel vir haar ma die nag toe sy wakker skrik en hoor hoe bitterlik haar ma ween.

WEER IN DIE TOU VIR TOELAE

In die volgende maand se geldtou staan daar 'n vrou voor Muriel. Die soort met die harde rooi kroeshare. Sy draai haar om en sê: Is jou swart ma skaam om jou wit pa se geld te kom haal? En sy word rooi in haar gesig asof sy seer gekry het.

Muriel dink: As ek net my pa gehad het, kan jy, kroeskop, al die geld in die wêreld vat. Sy byt haar bolip en dink: My ma lê al plat in die bed vir drie weke. Nie een het naby gekom nie, nie eers haar eie mense nie. Om haar verlies met jammerte te troos nie.

Nou eers sien Muriel hoe diep haar ma se liefde vir haar man was. Sy het al die beledigings, al die seer woorde afgeskud met: Hy is my man.

Dit is Muriel se beurt. Sy staan eerste in die tou.

Name? word dit gevra.

Sy antwoord: Vincent Growé.

O, antwoord die klerk, killed in action. Sorry, niks vir jou nie. Gaan sien die Welsyn. Hulle sal jou help.

Na 'n week se hart sterk maak vir Aletta Growé was die Welsyn nog steeds 'n plek waar mense gaan bedel, en elke dag sê sy: Ek sal môre gaan.

Toe kry sy 'n ander idee: Kind, sê sy, gaan sien jy die Welsyn. Maak jou mooi, laat hulle kan sien ons het nie jou pa se geld gemors nie. As jy weg is, gaan ek op my knieë.

Ma, sê Muriel toe sy terugkom, hulle sê Ma moet self kom. Vincent Growé se vrou lewe mos nog.

Aletta gaan was haar trane van haar gesig, en Muriel kan sien dat haar ma nie gebid het nie, maar op haar knieë gehuil het.

Toe sê Aletta: Dan gaan ek, my kind. Ek is nie bang vir hulle nie. My kleur kan ek nie verander nie. Net so verander ek nie Vincent Growé se getroude vrou nie. Ek loop nou.

Aletta Growé staan in die Welsynkantoor en kyk rond soos enige vreemde mens. Daar kom 'n witvrou in, sommer so slordig. Sy kyk vir Aletta en sê oor die toonbank: En dié?

Die Welsynvrou sê: Die kantoor is net vir Europeans.

Waar is onse kantoor, Mevrou? vra Aletta.

Ek weet nie, antwoord sy kortaf, gaan sien jou predikant.

Aletta loop uit en hoor die vrou met die ongestrykte rok sê: Weet sy nie sy moet Miesies sê nie?

Aletta staan buite en sê vir haarself: Vincent, jou blerrie fool. Jy laat jou doodskiet om dié soort te laat lewe! Is dit my dank vir my man se opoffering van sy lewe sodat ek en sy kind kan eet? My lyding sal ek saam met my liefde in my hart dra en hulle sal dit nie vernietig nie. Ou Hitler kan hulle maar almal uitroei.

Toe sy instap by haar huis, vra Muriel: Het Ma reggekom?

Aletta se trane rol oor haar wange van die vernedering en gevoel van magteloosheid.

Kind, sê sy, ek was tevrede om swaar te kry saam met jou pa. Werk of geen werk nie, hy het altyd iets gehad om te doen met sy hande alhoewel hy nie geld daarvoor gekry het nie. Hy was nie 'n luiaard nie, nog minder 'n dronklap.

Mettertyd kry Aletta haar man se groot wit sak uit die Noorde – met al sy besittings wat hy nie benodig het op die slagveld nie. Die kitbag. Daarin kry sy haar en Muriel se kiekies vergroot, en onderaan het hy geskrywe: Met al my liefde – my vrou.

DIE TROUDAG

Daardie nag na sy die kitbag ontvang het, kon Aletta nie slaap nie. Haar gedagte vat haar terug toe sy nog 'n jong meisie was. Haar en Vincent se mense was teen wat hulle daai dae gesê het – hulle vryery.

Een Maandagoggend het hy na die Griek se kafee gekom waar sy gewerk het.

Aletta onthou alles nog soos gister: Hy het my hand gevat en my nader getrek. Kom, Alet, gaan maak jou skoon, trek jou Sondagklere aan, het hy vir my gesê. Soos jy sien, ek is reg vir onse troue.

Ek sê nog: Wat? Trou met 'n Boerjong?

Ja, antwoord hy, met 'n swart gladdehaar-meid.

Hy maak toe my voorskoot los en sê vir my baas: Dit is baie belangrik vir ons twee. Gee haar af, net vir twee ure asseblief.

Die Griek sê nog: Mister Vincent, laat Aletta net terugkom na die twee ure. Jy weet ek kan nie sonder haar nie. Sy is al kok wat ek het.

In onse loop wys Vincent my 'n vyfpondnoot. Ek onthou hy het gesê: Dié is vir die magistraat vir ons special trou-licence, nie later as vandag nie.

Toe het ons eers saam geloop na my ma se huis. Daar sit hy toe met 'n koppie tee in onse voorkamer. Ek is in my slaapkamer besig om my aan te trek – vir my troue. Ek het nog gedink: Ek moet eendag 'n man vat, ek het nie geweet dit sou so maklik wees nie.

Toe hoor ek Vincent vra vir Ma: Ma Lucas, soos hy haar noem, ek vra, gee Ma Lucas om as ek met Aletta trou?

My ma sê: Wat het ek nou gehoor?

Hy sê weer: Gee Ma Lucas om as ek vir Aletta vir my vrou vat?

Ma sê vir hom: Hoe oud is jy?
Hy antwoord: Dertig jaar, verlede Julie.
Ma vat 'n stoel en sit dit voor hom. Sy kyk hom in sy gesig en sê: Aletta is agt en twintig jaar oud en sy is lelik en oud genoeg om self ja of nee te sê.
Ek laat dit aan julle twee oor.
Toe staan Vincent op van die stoel af en omhels vir Ma. Na dit vat hy haar hand en sê: Baie dankie, Ma Lucas.
Toe ek by die kamerdeur uitloer, sien ek hy soen Ma. Voordat ons loop, vat Ma onse hande en sê: Veels geluk, my kinders, en neem my seën.
Toe ons uitloop, hoor ek Ma sê: Love is blind.
Ons houvas mekaar se hande toe ons in die juwelierswinkel inloop.
Vincent sê: 'n Trouring, asseblief.
Die juwelier vat die grootte van my vinger en Vincent vra my: 'n Dun of 'n breë ring?
Ek antwoord: 'n Breë ring.
Vincent beaam: Ek sê ook so.
Hy betaal en sit die ring in sy sak. By die magistraatskantoor sê die ontvangsdame: Julle is net betyds.
Sy gaan haal die magistraat en hy vra: Het jy die ring en die vyf pond?
Ja, Edelagbare, antwoord Vincent.
En ons stap uit die kantoor as Meneer en Mevrou Growé ...
Aletta sit regop in haar bed. Sy skud haar kop, sit haar hand voor haar mond soos een wat baie verbaas is. Wat 'n wonderlike droomgevoel was dit gewees op my troudag, sê sy. Toe draai sy om en slaap verder langs Muriel.

DIE SPAARGELD RAAK OP

Aletta se spaargeld word minder, die laaste huurgeld het amper alles gevat.
Ma, sê Muriel, ek moet werk gaan soek.
Namiddag kom sy terug, uitgehonger. Sy drink water en sê: Ma, ek kry nie werk nie. Mense kyk my op en af, dan skud hulle net hulle koppe. Sonder om nee of ja te sê. 'n Oubaas wou my werk gee. Hy kyk my ook op en af. Hy sê: Ek betaal goed, maar jy moet vanaand,

amper donker, by my agterhek staan sodat die mense jou nie kan sien nie. En toe knip hy sy oog! En na die werkie sal hy my die geld gee, sê hy. 'n Ou man, Ma, duur aangetrek, met 'n boepens, Ma. Ek het bang geword, toe hardloop ek weg.

Aletta vermaan Muriel en sê: Kind, die Here was saam met jou. Moet nooit manne vertrou nie. Die mense van Vuuruitgebrand ken jou – hulle noem jou mos sommer: daai witman se kind. Hier is nie werk vir onse jong, skoon meisies nie, veral mooi bruin- of swartmeisies nie. Net die witmeisies werk in die winkels en kantore. Hulle soek nie eens jou soort in die kombuis nie.

Ek begin nou om te verstaan, Ma, peins Muriel.

Haar pa was welbekend as Vincent Growé in Vuuruitgebrand, in die Karoo. Meeste van die tyd het die mense sonder dat hy dit hoor, gesê: Daai witman met die swartvrou. Die bruinmense het gesê: As Muriel wit wil wees, laat haar. Waar sal daar so 'n gelukkige bruinman haar vir sy vrou kan vat? Sy is meer wit as bruin.

Antie Miriam, een van die grootvrouens, het altyd gesê: Wys my 'n witman hier in Vuuruitgebrand wat nie 'n sagtigheid het vir 'n bruinvrou nie. Het ons dan nie hulle vuil luiers gewas nie, met harte vol dankbaarheid vir die geleentheid nie!

Dié soort praat het Muriel baie gehoor in die geselskap van haar ma en ander vroumense van Vuuruitgebrand.

Deur haar pa het sy haar ma liefgehad. En deur haar ma het sy haar pa liefgehad. Nou is haar pa weg – en haar ma is 'n swartgesigbruinvrou. Sy haat nie haar ma nie, maar sy kyk haar tog partykeer aan met 'n dié-is-als-jou-skuld-kyk.

Aletta en Muriel hou siel en liggaam aanmekaar met los werkies. Maar die dag breek aan wat daar niks in die huis is nie.

Muriel gaan leen Tom Venter se bicycle. En dit sonder haar ma se kennis.

DIE PLAAS DEURBRAAK

Muriel ry die twaalf myl na haar pa se ma se suster – haar pa se tante, Sally Vermeulen, op die plaas Deurbraak.

Jare gelede het haar pa vir haar ook op 'n bicycle hiernatoe gebring. In die ry dink sy: Ek hoop Pa se ma se suster woon nog daar. Ek wonder hoe moet ek sê: Antie, Mevrou of Miesies.

Sy sien die naambord: *Deurbraak S.Vermeulen.* Sy maak die groot hek oop, dan weer toe.

Daar staan 'n jong man voor die huis.

Muriel klim af van die bicycle en die jong man gee haar sy hand.

Jan Koens, sê hy.

Muriel lag haar laggie en vra: Bly Mevrou Vermeulen hier?

Ja, antwoord hy, dit is my skoonmoeder. Kom binne, wys hy met sy hoed. Ma, roep hy, hier is 'n gas vir Ma.

Die ouvrou kom en Muriel glimlag en gee haar hand. Vincent Growé se dogter Muriel, sê sy.

Die ouvrou staan en kyk haar en sy dink: Ja! Nou kom dit my by. Aai, sê sy met 'n skewe glimlag, maar jy het groot geword. Sy gaan na die venster en kyk na buite.

Skielik draai sy om en sê: Kom ons gaan na die kombuis. Sit, nooi sy toe hulle instap. Sy vat 'n beker en skink koffie daarin, en sit twee boerebeskuite op die tafeldoek – nie eens op 'n pierinkie nie. Nou ja, vra die ouvrou, wat bring jou hier?

Muriel vertel haar pa se tante wat gebeur het. Dat haar pa op die slagveld gesneuwel het, in die veldslag van Sidi Rezegh. Haar ma en sy het nie 'n inkomste nie en sy wil graag werk hê. Daar is nie werk in Vuuruitgebrand nie.

Muriel se trane rol, en sy vee dit af met haar hande. Here, sê sy in haar hart, help my, asseblief.

Die ouvrou gaan uit en gaan dink op die stoep. Die man wat gesê het hy is Jan Koens, trek 'n stoel nader en sit saam met Muriel.

Hy sê: Vuuruitgebrand het darem mooi meisies, en vinnig sit hy sy hand voor sy mond. Muriel lag daai skudlag van haar.

'n Vrou stap verby sonder om te groet en gaan staan by die ouvrou op die stoep. Ma, vra sy, wie is daai?

Sjuut, antwoord haar ma. Sy gaan nader en sê: Dit is my suster se seun se kind, Vincent Growé was sy naam. Sy lyk net soos haar pa.

O! sê sy. Die een met die hotnotvrou.

Nee, sê haar ma, 'n swart kleurlingvrou. Dis nou my kans om hulle, ma en dogter, weg te kry uit my lewe. Ek moet net plan maak.

Muriel het alles gehoor wat die twee vroumense gepraat het. Here, dink sy: Wat het ek gesondig? Ek het nie gevra om in die wêreld te kom nie en het nie 'n wit pa en 'n swart ma gekies nie. Waarom, Here? Ek verstaan nie.

Sonder emosie sê Miesies Sally Vermeulen, die ounooi van Deurbraak, vir Muriel: My man is geïnterneer in Koffiefontein. Ons is Nasionaliste en ons het nie eintlik tyd vir King George se mense nie.

Sy word rooi in haar gesig en die woorde bars uit: Wat het Vincent daar gaan soek? Histeries nou: Ek sal my kleinsuster in Doornfontein laat weet, dan sal ons in aanraking kom met julle.

Muriel vra: Weet Tante waar ons bly?

Nee! Maar my hotnot sal weet.

Sy staan haar lip en byt – 'n Growé se gewoonte. Ek het werk om te doen, moet nie weer hier kom nie. Dag. Nou weet ons waar lê Vincent.

Sy loop weg en prewel: Nou is die skande verminder, ek sal vir hulle nou uit die pad kan kry.

Muriel groet nie. Sy loop uit na die bicycle toe.

In die loop hoor sy die jong vrou sê vir die man: Jan, skaam jy jou nie om met 'n hotnotmeid geselskap te hou nie?

Muriel gaan staan stil, sy kyk om en spuug op die grond in hul rigting. Hulle loop weg, verbaas en met teensin.

Muriel tel die bicycle op en ry weg sonder om die groot hek toe te maak. Op pad terug huis toe dink sy oor en oor aan wat sy gehoor het. Sy sal haar ma alles vertel, besluit sy.

Na sy die bicycle teruggeneem het en afgekoel het by die huis, vertel Muriel haar ma wat sy aangevang het.

Kind, sê Aletta, ek is net bly jy is veilig terug, 'n kar kon jou omgery het op die lang stuk pad. Laat ons dit vergeet, ons sal nie oordeel nie. Ons sal die Here vra, dan vergeet ons wat gebeur het. En, voeg sy by, dit is hulle soort wat aan kanker ly, en dan doodgaan.

ARMOED

Mense wil nie meer vir Aletta Growé geld leen nie. Hulle sê sy kan dit nie terugbetaal nie, hulle maak hulle deure toe as Muriel aankom. Ander sê: Wat kom bedel die amper-miesies nóú weer?

So lewe die twee net in gebed en hoop, want hulle weet nie wat lê voor nie. Aletta begin van haar huisraad te verkoop – goedkoop, amper verniet, omdat Vuuruitgebrand se mense oorkant die treinspoor almal arm mense is. Met die meerderheid vaders wat Vrydae na werk dronk huis toe kom op die loondag.

Die aand kom toe Ma en dogter gaan slaap sonder om iets te eet. Voor dagbreek skrik Muriel wakker, sy hou haar maag vas. Sy sien hoe hou haar ma ook haar maag vas. Aletta staan op en drink water.

Dit help vir die hongerkrampe, sê sy vir Muriel.

Hulle lê saam op die groot bed, want Muriel se bed is verkoop. So raak hulle weer aan die slaap. Elkeen met haar eie gedagtes.

Aletta bid voor sy omdraai: Here, nou vra ek nie meer nie, dit is in U hande.

Sonop lê Muriel al lank wakker. Sy draai die gedagte om en om in haar kop: Vanaand voor sonsak sal ek by die oubaas se agterhek gaan staan. Waarom moet ek met hierdie hongerkrampe sit? Hy het gesê hy betaal as die werkie klaar is. Dan gaan koop ek kos vir my en my ma.

Die son trek water. Die mense kom van hulle werk af huis toe.

Muriel het haar beste klere aangetrek. Sy sê vir haar ma: Ma, ek gaan onse pastoor van die kerk sien.

Sy loop, haar ma kyk haar agterna met die gedagte: Wie sal sê daar is niks in die arme kind se maag nie?

Net oor die spoorlyn hou 'n man met 'n vragmotor stil. Nonna, vra hy, terwyl hy 'n koevert uit sy sak haal en daarna kyk, waar kan ek Vincent Growé se mense kry?

Verstom sê Muriel: Askies, Oom?

Ek sê: Vincent Growé se mense.

Hy was my pa, antwoord sy met haar hand op haar hart. Sy sug asof sy 'n swaar las van haar afgeskud het. Hy maak die deur oop en sê: Klim in, my nonna, asseblief.

Die trok hou stil voor hul huis, Aletta kom uit.

O! dit is waarom jy aangetrek het, lag Aletta verbaas.

Muriel klim uit die trok. Sy lag ook, maar sê niks nie. Sy dink: As my ma net weet dat dié my redder is, maar dis my geheim wat ek vir altyd sal hou.

Die trokbestuurder klim uit: Jakob Witbooi, sê hy, en gee sy hand. Hy gee 'n koevert vir Aletta aan.

Wat kan dit wees? dink Aletta. Dood, lewe, tronk, kos, geld?

Dis al sterk skemer. Aletta gaan binne en steek 'n stukkie kers aan. Sy skeur die koevert stadig oop. Haar hande bewe terwyl sy lees:

Jy ken my nie, ek is van Vincent se familie. Laat die jong jou na Johannesburg toe neem. Daar is baie werk vir jou en jou dogter. Hy sal jou na 'n tweekamer-buitegebou neem in Doornfontein. Hier is £30 ingesluit, neem dit vir jou nuwe begin. Jy kan hom vertrou. Vaarwel.

Wie is die familie van Vincent, Mister Witbooi? vra Aletta.

Ek ken haar nie, Miesies Growé, sê Jakob Witbooi. Die vrou het vir my by my huis kom huur. Daar in Johannesburg rond is baie firmas vir wie ek al goed vervoer het. Al voor die oorlog al. Sy het seker maar my naam by so een gekry. Sy het net gesê sy het iets wat afgelewer moet word in 'n plek in die Karoo met die naam Vuuruitgebrand. Ek sê toe vir haar ek weet waar dit is, ek ry mos die wêreld vol met die trok. En sy betaal my sommer klaar vir die vervoer Johannesburg toe en als.

Ek vra nog: Miesies, wat is Miesies se naam en adres?

Sy antwoord: Geen naam en geen adres nie. Al wat ek vra, is: Vat hulle uit Vuuruitgebrand.

Sy klim in haar kar en ry weg. Ek is toe jammer dat ek nie haar kar se nommer afgeskryf het nie. Toe staan ek net met hierdie stukkie papier, sê Jakob Witbooi en hy haal die adres in Doornfontein uit sy sak. Gelukkig weet ek darem waar die plek is. Ek kan niks meer sê of bysit nie, Miesies Growé.

Aletta sê: Mense sê Johannesburg is baie gevaarlik.

Nee, sê Jakob Witbooi, daar is baie goeie mense in Jo'burg. Dit hang af van jou vriende en geselskap. 'n Meisie soos dié – en hy wys na Muriel - het 'n ma se hand nodig om haar in tou te hou. 'n Mens dra sy eie hel of hemel saam met hom, dit hang af van die mens. Neem die kans, Miesies, sê hy oortuigend, om jou lewe te verander. Kom weg uit die armoed van Vuuruitgebrand. Dit hang net van jou af.

Aletta luister hoe mooi Jakob Witbooi met haar praat en sy dink: Hier staan ek met dertig pond uit die bloute en ek kan die man nie eens 'n koppie koffie aanbied nie. Hy is seker dors.

Muriel sit haar hand op Jakob se skouer en sê: Ons sal saamgaan, Oom Jakob. Ons vat daai kans.

Nou dan pak ek, sê Aletta oplaas. Muriel, vat die vyfpondnoot en gaan koop wat ons nodig het aan kos.

Pak, sê Jakob Witbooi, maar nie die bed nie, julle twee moet nog daarop slaap vanaand. Ek sal in die trok slaap, ek is moeg. Die Karoo is vêr van Jo'burg, en ons ry môre vroeg.

Arme mense is altyd baie nuuskierig. Vuuruitgebrand se inwoners kom kyk wat aangaan. Kom ons gaan kyk daai TJ-trok, sê hulle.

Aletta gee haar bure net een kyk en sê: Laat ek pak, dan hier wegkom. Snaaks, dink sy – arme mense wil nie hê een van hulle moet uit die kraal nie. Hulle probeer jou hou, alhoewel hulle jou nie jammer kry nie.

WEG EN OP PAD

Dis nog vroeg. Die bed met komberse word agterop die trok gelaai. Vuuruitgebrand se mense slaap nog.

Voor hy wegtrek, sit Jakob Witbooi Aletta se potplante op die trok. Dié is deel van julle, merk hy op. Dit maak jou tuis. 'n Mens se hart is waar jou goed is. Hy maak die trok se deur oop en sê: Klim in, julle twee. Dan loop hy om die trok, klim in, draai die sleutel en sê: Weg is ons.

Ai, maar die man kan praat, dink Aletta, toe die son opkom. Sy skrik wakker met haar kop op sy skouer. Hy sê: Muriel kan maklik werk kry. Ons sal die Star-koerant koop. Watter kerk is jou kerk, Mevrou Growé?

Die Nuwe Apostoliese Geloof, antwoord Aletta.

Jakob Witbooi lag uitbundig, sy tong tussen sy uitgetrekte twee ondertande. Hy trek sy skewe pet 'n ent skewer. Sy hemp se knope skuur af en toe teen die stuurwiel soos sy maag daarteen druk en hy skuif telkens rond van die ongemak. Ek ken hulle, gesels hy. Ons drink nie en ons rook nie, sê hulle, maar hulle doen al die ander goed onder die kombers.

Na 'n lang stilte sê Muriel: En jou kerk, Oom?

Ek is 'n Church of England – my kerk se stigter, ou Henry the Eigth, het agt van sy getroude vrouens vermoor. Niemand het teen hom gepraat nie, nie daai tyd en tot vandag toe nie. In onse kerk is dit die tradisie, vertel hy, ons moet vrywillig agter sit. Die wittes verwag hulle moet reg voor sit in die kerk. Die wittes wil vir Afrika besit en regeer. Maar die wiel sal draai, dan besit Afrika die witmense. Die witmens sal nie – soos hy sê – sy wit bloed hou nie. Sy taal, ja, Afrikaans. Dit is ook onse taal en ook naby onse harte.

Die pad verander, so ook Aletta se gemoed. Die wewenaar en weduwee gesels, met 'n grap hier en daar. Muriel lag saam. Vandat haar pa oorlede is, het sy nog nie weer haar ma so gelukkig gesien nie.

Ek het my man in die oorlog verloor, vertel Aletta – om te wys dat Muriel geëg is. Hy was 'n infantrie-man.

Ja, beaam Mister Witbooi. Doodgeskiet met geweer en al.

Daar is 'n stilte, ma en dogter sit elkeen met hul eie herinnering. Aletta vee haar trane met haar hand af.

Vir ons, sê Jakob Witbooi, het Jannie Smuts ongewapen slagveld toe gestuur, ongewapen – kan jy dit glo? Die Cape Corps het ook onder vuur gekom en ons was ook ge-Stuka-bom. Die Stuka is die Duitse vliegmasjien, wat op sy teiken duik om sy bom te laat val. Hy maak 'n wrede, eienaardige geraas, wat 'n mens nie maklik vergeet nie. Ek was een van die transportdrywers – trokdrywers, ongewapen en gelaai met voorraad wat ons by die voorlyn moes aflewer. En die Stuka het ons hel gegee. Na die oorlog was my dank 'n bicycle en 'n fok-off en hulle het ons dieselfde medaljes gegee soos die witmense. Why worry? Ou Malan vat nou oor waar Hitler opgehou het.

JAKOB WITBOOI GESELS NOG MEER

Muriel lê met haar kop teen haar ma se skouer, vas aan die slaap.

Aletta hoor: Na ek ontslaan is, gaan ek huis toe, ewe bly en gelukkig. Ek, my vrou en seunkind het saam met my ma gewoon. Ons was baie gelukkig, ek het vir die huis gesorg. Onse huis was nooit sonder liefde nie – so arm soos ons gewees het. En Miesies Growé, sê hy, tot vandag toe weet ek nie waarom ek die army gejoin het nie. Watter man is nie bly as hy in die trein sit op pad huis toe, na vyf jaar weg van sy huis af nie! Dis nou die vyf jaar in die oorlog.

Ek het die vorige drie nagte nie geslaap nie van opgewondenheid om by die huis te kom. Ek kom aan – daar is groot vreugde, my ma en kind is bly om my te sien. Maar ek kry 'n snaakse hartseer gevoelente. Ek vra asof ek met altwee praat: Waar is jou ma, my Florrie, dan?

My ma en my kind stap weg en maak die kamerdeur toe.

Toe hoor ek hoe bitterlik huil my ma en kind. Dit was my welkom.

En ek moet 'n nuwe lewe begin. Wat maak 'n mens in so 'n geval? vra hy vir Aletta.

Ek weet nie, Jakob, antwoord Aletta, en sit haar hand vinnig oor haar mond.

Sê maar Jakob, sê hy en kyk skrams na haar. Ek stap sommer die kroeg in en gaan word dronk, vertel hy verder. Toe hoor ek wat ek moet hoor en nie wil hoor nie. Dit kom toe uit my dronk maat se mond. 'n Soldaat met die naam Paul Koopman het by my ma kom kuier. Glo 'n neef van my pa en my pa is al jare dood. Nie lank nie, sê my dronk maat, sien ons Florrie met 'n pens rondloop. My maat bly stil en vee sy dronk trane af asof hy dit saam met my voel, en hy drink sy soveelste glas.

Ek wag en wag en skud hom 'n bietjie rof. Hêi, sê my, skreeu ek.

Tussenin dink ek: Die Paul Koopman het weggehardloop met my Florrie. Ek gaan haar haal, en jy, my maat, gaan my wys waar om haar te kry. Ek laat gooi die glas weer vol wyn.

Hy drink die helfte van die wyn en toe sê hy: Jakob, my vriend, ons het haar begrawe saam met die baba.

Jakob Witbooi sug. Daarna weet ek niks meer nie, hoe lank dit geduur het, weet ek ook nie, sê hy. Ek het vir dae nie gewas nie, ek was 'n totaal zombie. Toe raak my geld klaar. Nou wie kan dronk word sonder geld?

In al die tyd het ek nie 'n woord met my ma of kind gepraat nie. Die verlies van my Florrie kon ek nie uit my gemoed werk nie. Ek kon vir Florrie nie uit my gedagtes kry nie. In die huis, net waar ek sien, sien ek vir Florrie. Wat ek aan vat, voel ek vir Florrie. Ek sê jou, Miesies Growé, dit was 'n bitter stryd vir my, bitter. Ek moes nou nugter aan die slaap raak. My hart, my gedagte wou haar hê, en sommer nou, hier. Die verlange vreet aan my – 'n binnewond in die diepste van my siel. Al daai jare weg van die huis af, het ek nie geslaap sonder om die Here te vra: Hou U hand oor my Florrie, nie.

Jakob Witbooi kyk na Aletta, dan weer vir Muriel, en sê met oë wat blink: Het ek dan verniet gebid? En sê weer: Het ek dan nie reg gebid nie? Ek weet nie.

Aletta sien Jakob se oë blink, die trane wil en wil nie rol nie. Aletta druk haar skouer stywer teen syne. Sy troos: 'n Mens kan seer kry, maar as die hart seer kry . . .

Die woorde hang los in die lug, toe draai sy haar kop stadig na Jakob, dan weer na Muriel: Ek voel dit saam met jou, fluister sy.

Ek dink toe, ek gaan kyk waar Florrie se graf is, sê Jakob. By die kerkhof sien ek 'n grafsteen hier en daar. Al die grafte het nommers en ek ken nie Florrie se nommer nie. Ag, dink ek, hulle almal slaap. Mense huil nie meer oor hulle nie, ek sal loop.

Aletta en Muriel, wat nou ook wakker is, kyk vir Jakob. Hulle kyk nie meer die pad nie, hulle wil luister.

Jakob sê: Toe sien ek ek en Florrie se teeketel op een van die grafte staan, met 'n paar dooie blomme daarin. Hy praat nou stadig asof hy dit weer herleef. Onse trougeskenk van haar ma. Ek tel die teeketel op en voel vir Florrie. My Florrie, sê ek. Ek druk die ketel teen my hart. Florrie, sê ek – so dit is alles waar.

Ek stap na die waterkraan, ek weet nie hoeveel keer nie, en gooi vir Florrie nat. Snaaks, Miesies Growé, sê hy, my liefde, my jammerte, my vergifnis het ek daar laat lê, in die natgooi van die graf.

Jakob sug. Hy sê: Toe ek onse teeketel weer op die nat graf neersit, het Jakob Witbooi ook verander. Ek het nooit weer 'n druppel drank oor my lippe gesit nie, en nooit weer sal ek 'n vrou vat nie. Hulle wil my tog nie hê nie.

Daar is 'n lang stilte, die pad loop reguit. Hulle sit aldrie met hul eie gedagtes.

Muriel sê vir haarself: Kan dit waar wees dat daar mense is wat soveel seer al deurgemaak het?

In Beaconsfield hou die trok stil voor 'n kafee.

Ek is honger, sê Jakob.

Aletta neem 'n noot uit haar geldsakkie. Vat dié en koop vir ons.

Jakob maak die trok se deur oop en sê spelerig ontwaardig: Ek 'n weduwee se geld vat? terwyl hy die hand met die noot terugstoot. Klim julle twee uit en maak julle litte los, sê hy.

Voordat hulle uitklim, sien Muriel haar eerste albino, en sy verkyk haar aan hom. Ma, vat sy aan haar ma se skouer. Kyk daar, wys sy met haar oë. Sien Ma daai wit man?

Ja, nou sien jy, kind, die Here gee self die kleur van die mens se vel. Ek is seker hy wil ook swart wees – net soos ek met my swart vel wil wit wees, spot Aletta.

Hier is dit, julle twee beauties! roep Jakob agter hulle, en hy gee elkeen 'n bottel melk en 'n warm pastei. Ons is nie geregtig om daar binne te sit nie, wys hy met sy hand. Alhoewel ons dieselfde prys betaal. Die wittes vra mos hulle gemakshuisie se sleutel oor die toonbank. Ons gemakshuisie bly altyd oop en vuil, en onse eie mense wat hier werk, is te lui om dit skoon te maak. Maar gewoonlik is daar nie een vir ons nie. Mense sê eendag sal dit alles verander – ek weet nie, sug hy terwyl hy sy mond met die pastei se kardoesie afvee.

Wanneer laas het 'n pastei so lekker gesmaak? sê Aletta toe hulle weer ry. En sy wens sommer die ryery hoef nie op te hou nie.

Naby Johannesburg sê Jakob Witbooi: My ma het daardie tyd my maandlikse army-geld net so in die bank gesit. Hy draai sy kop na Aletta. Gelukkig gee sy my boekie na ek vir Florrie goodbye gesê het in die kerkhof. Die Chevrolet is toe met daai geld gekoop. En toe laai ek alles wat aan my, my ma en my kind behoort, op hierdie trok.

Hy steek sy tong tussen sy onderste tande wat uit is, deur – 'n manier van hom wanneer hy dink. Maar, sê hy, ek laat staan alles net so wat aan Florie behoort het. Ek sluit toe die huis se deur, en gaan gee die sleutel met die maandlikse huur aan die huisbaas. Op pad hier na Jo'burg voel ek: Wat 'n verlossing! Ek het toe 'n huis in Albertsville gebou. Nou hoor ek dit word 'n white area. Die lewe moet aangaan, al skop die Group Areas jou hier heen en weer.

Jakob hou aan gesels, maar Aletta en Muriel hoor hom nie meer nie. Verstom kyk hulle na al die hoë geboue en verkeer wat so vinnig beweeg.

Aletta sê: Is die mense dan nie bang hulle sal uit die vensters val nie, en hoe lank vat dit hulle om tot daar bo te loop?

DIE TWEE KAMERS

Jakob Witbooi wil iets sê, maar toe sien hy die straat se naam.

Hier is ons, sê hy toe hy sy hand uitsteek om te draai. Die hek is oop en hy ry in. Uitgeklim en rondgekyk en gaan praat, kom Jakob terug en sê vir Aletta: Daai is jou huisbaas, Tico Moodley. Gee hom sommer die huurgeld, dit is vyf pond vir die maand, sê hulle. Dan is jy baas van die buitegebou vir die maand, en sorg dat jy op tyd elke maand betaal. Anders smyt hy julle uit. Vra vir 'n kwitansie as jy sy wit tande in sy swart gesig sien.

Aletta lag. Ons is ewe swart, dink sy.

Met alles afgepak en ingedra, sê Jakob: Die kafee is om die draai. Ek sal julle Maandagoggend met die Star-koerant groet. En vir jou – kyk hy na Muriel – gaan ek in die werk sit om vir jou ma te sorg.

Ek sal doen wat Oom sê, Oom Jakob, sê Muriel eerbiedig.

Hy vat Aletta se hand en sê: Môre is Sondag, kerkdag, ook rusdag.

Sy gee sy hand 'n druk. Hy let dit nie op nie.

Ek maak eers nog koffie, sê Aletta.

Ek drink dit as ek weer kom. Ek kan jou nie alleen laat nie, sê hy en druk sy tong waar daar nie tande is nie.

Aletta kyk hom in sy grys oë en sê: Ek sê dankie vir alles en as jy, Jakob, weer kom, sê ek weer dankie.

Onthou jy skuld my koffie, lag hy.

Die Maandag is Jakob weer daar. Hy sit met 'n koppie koffie en die Star-koerant aan tafel.

Aletta sê: Ek maak iets vir Jakob om te eet.

Nee, antwoord hy ongeduldig. Kyk, hier is dit, ook nie vêr hier vandaan af nie. Hy lees hardop: Dringend benodig – ontvangsdame. Begin dadelik werk.

Hy sit die koerant neer en sê vir Muriel: Maak jou mooi, dan ry ons, jou ma gaan saam.

Ek is reg, Oom Jakob, roep sy.

Sluit eers die deur, sê Jakob. Hier word die deur gesluit as jy weggaan, anders verloor jy al jou goed. Julle is nou Jo'burg-mense. Vuuruitgebrand is net in die gedagte, sê hy.

Jakob Witbooi parkeer sy trok voor 'n hoë gebou. Daar is die kantoor, beduie hy, gelukkig is dit op straat. Hulle klim uit en Jakob sit 'n muntstuk in die parkeermeter.

Moet jy dan betaal om in die straat te staan? vra Aletta.

Jakob lag en klim weer in die trok, en praat met Muriel deur die venster.

MURIEL KRY WERK

Luister mooi, meisiekind, sê hy, jy stap daai deur in – by T.J. Forbes Accountants. Sê my eers hoe ver het jy op skool gegaan?

Standerd ses, Oom Jakob.

Hy sê: Groet hulle mooi met 'n glimlag en sê: Ek sien in die Star julle nodig 'n ontvangsdame. En Muriel, voeg Jakob Witbooi by, al wat ek jou kan sê, jy is nou op jou eie. Jou nuwe lewe het nou begin. Jou ma sit in dieselfde posisie as ek, ons is nie blankes nie. Jy is 'n wit dame, onthou – net vir die geld en 'n beter lewe. Gaan nou.

Veels geluk, Muriel, wens Aletta haar dogter toe en druk haar arm.

Hulle sit in die trok, Jakob gesels, maar Aletta hoor hom nie. Sy sit en hou haar ken vas, met oë wat oop is en nie sien nie. Net sy weet wat sy dink.

Na 'n hele tyd kom Muriel vinnig aangestap oor die straat.

Hy sê, hy sê, sê sy uitasem en opgewonde, kom begin môre.

Dankie, Here, dank Aletta.

Mooi, maar wag eers, my kind, sê Jakob. Sien jy daai twee lyne oor die straat?

Al drie kyk aandagtig.

Dit is bedoel vir die mense wat loop, sê Jakob Witbooi, en as jy oor die straat loop sonder om te kyk, vang die treffiek jou. Nou sê ons wat sê die mense in die kantoor.

Muriel klim in die trok en vertel: Die dame gaan verhuis, haar man werk glo vir die Spoorweg. Sy sal my môre alles verduidelik hoe ek moet werk. Sy lyk ook maar blou, sê sy vertroulik vir haar ma.

Kom, sê Jakob, ek wys jou watter trem om te vat, dit is belangrik. Dan sit ek julle neer by die huis. Ek het ook werk om te doen.

Daardie aand slaap Muriel so te sê niks nie.

Die volgende dag, Dinsdag, toe Muriel die kamer uitstap, begin haar nuwe lewe en nuwe skoling. Die telefoon in die kantoor tel sy so bang-bang op. Dit is die eerste keer dat ek die ding met my hoor praat, sê sy vir haar ma dié aand.

Na 'n maand kry Muriel die eerste loongeld van haar lewe. Sy gee dit net so vir haar ma. Hulle maak oop en tel vier pondnote. Een vir die huur van die buitegebou, een steek ons weg, en twee is om van te lewe, besluit die twee.

Muriel hou van haar werk en gee haar beste. Omdat sy 'n skoon meisie is met 'n skoon gedagte, verander sy die atmosfeer by T.J. Forbes Accountants. Vir haar is Meneer Christian Forbes haar werkgewer en haar baas. En soos Aletta sê – onse godsend.

MURIEL WORD AANVAAR

Christian Forbes word die onderdanige meisie gewoond en gee vir haar die respek wat haar toekom. Daar is min van haar soort in Johannesburg, dink hy. Jonk, netjies, gehoorsaam en alles wat mooi is.

Die manlike en vroulike trekkrag van die liefde begin kontak maak. Eers in hul drome, dan in hul gedagtes.

Chris Forbes praat nou ook met 'n glimlag met Muriel. Daar is iets tussen hulle twee wat hulle nie verstaan nie. Kom hulle by mekaar, stoot die bloeddruk op en hulle harte klop vinniger.

Muriel verstaan dit nie maar kyk uit daarna. Hulle is so eenparig dat Chris sy hand op Muriel se hand sit sonder om bewus daarvan te wees. Hy kry 'n gevoelente dat hy een met haar is. En Muriel – sonder om te dink, sit sy haar ander hand op sy hand. So staan hulle sekondes, minute, hulle weet nie – tyd staan stil.

Hulle harte klop vinniger. Hulle voel mekaar se warm asem soos dit uit hul harte geblaas word. Chris Forbes sit sy lippe teen Muriel se lippe. Dit raak net saggies, net om die vuur van die gees aan te skakel.

Die telefoon lui.

Altwee skrik. Hulle is nie seker wat gebeur het nie. Dit is Mevrou Forbes, sê Muriel en gee hom die telefoon. Sy hoor: Ek sê jou net ek gaan uit vanaand, en die telefoon word neergesit.

Forbes staan gedweë met die handstuk in sy hand en sê: Alles het 'n einde.

Hy sit die handstuk neer en loop uit die kantoor.

Die volgende dag is Vrydag. Sy kry die kantoor oop die oggend en Chris Forbes is al op kantoor. Iets wat nooit gebeur het nie. Soggens moes sy altyd wag vir hom om die kantoor oop te sluit.

Eenuur gaan hy ook nie huis toe vir ete nie. Hy sê vir Muriel: Vat van die kleingeld, en gaan koop van daai wat jy elke dag eet, sorg dat dit vir twee is.

Hy dink: Waarom moet ek so ver ry, net om terug te kom met 'n ontstelde gedagte?

So het dit aangegaan, aangegaan. Vir hom is Muriel so ordentlik, beskaaf en onderdanig. Sy tyd in sy kantoor is nou te kort en die besigheid begin te floreer. Hy sê vir homself as hy snags wakker lê: Sy is nie cheap nie, en hy dink nou aan haar as sy Muriel. Hy moet glad nie dink dat sy dalk 'n kêrel het nie, anders is sy slaap weg vir die aand. En daai soen, hy wens hy kry weer so 'n kans.

Die gewoonte is dat Muriel elke oggend die Star-koerant op haar baas se lessenaar los. Een oggend lees Chris Forbes: *Bing Crosby – Tonight at The Plaza.*

Hy lui die bel, Muriel kom. Hy sit sy vinger op die koerant en nooi: Gaan saam met my na die cinema vanaand.

Sy skud haar kop vir 'n ja.

Gee my sommer jou flat se nommer, dan kry ek jou daar.

Sy skud haar kop weer – vir 'n nee.

Nou ja, sê hy, ek kry jou voor die Protea Mansions.

Muriel lag daai skudlag van haar en verbruik 'n nuwe woord wat sy geleer het: OK.

Die Protea Mansions is 'n woonstel van ses verdiepings. Net om die draai van Aletta se tweekamer-buitegebou.

Meneer Forbes het vir Muriel begin huis toe neem na werk en vir haar voor die Protea Mansions afgelaai, waar sy gesê het sy woon. Sy wou nie haar woonstelnommer vir hom gee nie, en talle male het hy gesoebat vir die nommer.

Mettertyd sê hy: Ag, dit is jou privaat reg, my girl.

Dit word 'n gewoonte, die ganery na die bioskoop toe. Muriel sit nou gereeld met die grootste doos sjokolade. En hy, Chris Forbes, sit met sy hand oor haar hand. Dit is genoeg vir my, dink hy. Dit is al wat ek wil hê.

By die Protea Mansions is dit Muriel se gewoonte om te wag en kyk hoe trek Chris Forbes sy kar weg.

Voor hy wegtrek, sê hy altyd: Ek sê dankie dat jy saam met my gegaan het. Slaap lekker.

Ek sê ook so, antwoord Muriel dan.

Hoe kinderlik-grootvrou, dink hy. Vir jou moet ek hou, my prinses.

Een aand kan Chris Forbes nie slaap nie. Sy vrou is weer uit.

'n Kar hou stil en hy hoor: Goodnight, darling.

Daai stem ken ek, dink Chris. Dit is mos Tom Wellington. Ag, sê hy vir homself. Hy kan haar maar vat.

Sy vrou gaan in die badkamer en lank daarna stap sy in die slaapkamer in. Sy gaan sit op haar enkelbed. Hy sien hoe loer sy vir hom. Sleep, big fool, sê sy met 'n trek om die mond.

Hy draai hom om en fluister teer: Muriel, Muriel, Muriel . . . so raak hy aan die slaap.

VERSOEKING, VERSOENING, VERGOEDING

Na werk gaan eet Muriel en Chris by 'n restaurant, nou 'n nuwe gewoonte. Muriel is gelukkig maar sy ken nog nie die voordeur van Protea Mansions nie, alhoewel sy altyd daar afklim en nou 'n goodbye-soen kry. Sy begin haar ma haat met 'n haat wat sy nie kan verstaan nie. Sy is aanstootlik en behandel haar ma asof sy in die pad is.

Kind, vra Aletta, wat gaan nou aan? Ons het altyd saam gebid voordat ons in die bed klim.

Muriel draai om in die bed en vee haar trane af met haar hand.

Aletta dink: Ek is jou moeder – vir my kan jy vertrap en verag. Maar my liefde vir jou is vir altyd, ek bly jou moeder. Is dit haar skaamte vir my swart vel? vra sy haarself. Here, bid sy, dit was u keuse.

Chris en Muriel sit nou op 'n Saterdagaand en vry in die kar, voor die Protea Mansions. Hulle kan nie van mekaar loskom nie.

Chris Forbes dink: Ek sal haar respekteer, sy is tender, ja, ek voel dit.

Vir Muriel is hy 'n gentleman. Voorheen was 'n man 'n man – sonder gevoelens vir haar. Dié man het hare op sy vingers net soos haar pa gehad het. Sy reuk is dieselfde, soos sy kan onthou haar pa s'n was. Alhoewel hy agt jaar ouer as ek is, voel ek dit moet so wees, dink sy.

Ja-nee, sê sy. Chris is van my pa se soort, ek voel nie verlore met hom nie.

Die liefde is diep in Chris Forbes gekarring. Hy praat met Muriel van sy familie, sy besigheid, sy pa, sy wense. Muriel kry presente vanuit die boonste rakke, vir hom is daar niks wat nie goed genoeg is vir haar nie. Muriel ken sy diepste geheime en sy het al die tyd nog nie vir Mevrou Forbes gesien nie. Soos hy vir haar vertel, was sy sy ma se keuse – geld, net geld.

Genoeg geld, dit is al wat sy het, sonder warmte of gevoel, sê hy. Daar was liefde aan die begin, maar nie die soort wat ek nou ken nie, het hy haar oortuig. Ek wil nie eers haar naam noem nie. Sy het my alte seer gemaak. My ma weet nie daarvan nie. Sy dink my huwelik is wonderlik. Ek is nie van die soort wat my hart uitpraat nie. Sy noem my 'n lamsak.

Muriel huil, vat sy hand en druk dit teen haar wang, en sê: Kan daar iemand wees wat jou wil seer maak?

My eie Sonskyn, sê hy net, en soen haar op haar wang. Forbes hou haar vas, sy sit op sy skoot. Sy deel sy hartseer, iets wat hy nie ken nie, en hy voel nie meer alleen nie. Hy druk haar en hy sê: Dié is love divine en geen ander liefde kan sy plek vat nie. So sit hulle in die kar tot die son opkom. Hy sien die donker begin padgee voor die son se opkom en sê: Gelukkig is môre nie 'n werksdag nie, dit is Sondag.

Die Krismisvakansie kom. Muriel sit op sy lessenaar in die kantoor. Chris Forbes staan op en sê: Kom ons ry see toe, en dit sommer môre. Ek tel jou op voor die Protea Mansions, kry jou tas reg.

Nee, antwoord Muriel, ek bring my suitcase hiernatoe – gewone tyd.

Reg, sê hy, ek sal alles agtermekaar kry, dan ry ons.

ALLEEN

Chris Forbes is welgebore en ken al die vakansieplekke van gehalte. Na 'n reis van ses uur bespreek hy 'n kamer en teken: Mr & Mrs Forbes. Hulle is moeg en gaan vroeg slaap.

Muriel kom uit die badkamer met haar nuwe shortie-pajamas. Hy trek haar hand laat sy op sy skoot moet sit. Na 'n paar soene, 'n paar drukke, 'n paar voele, kan altwee dit nie langer hou nie. Hulle gee in vir mekaar met hart, met siel, met alles.

Muriel lê later wakker met 'n glimlag op haar gesig, baie gelukkig. So dit is só, sê sy vir haarself.

Vir Chris Forbes is dit asof hy iets baie groot gewen het. Hy sê oor en oor in sy gedagte: Sy was 'n maagd en ek, Chris Forbes, was haar eerste man, dit was so skoon, so heilig.

Laat sy maar slaap, dink hy. Nee, sy slaap nie, sy lê wakker en loer vir hom.

Sy gee hom 'n drukkie daar waar sy die eerste keer aan gevat het. Aan die besnyde, natwarme kierie met die kop wat blink. Toe is dit weer so, asof van niets af.

Die son gee die kamer lig – die nag was te kort. Hy lui die bel en Muriel Growé kry haar eerste room-service: Ontbyt in die bed.

DIE KAR-ONGELUK

Maande gaan verby.

Na 'n ete in 'n Chinese restaurant, op pad na die Protea Mansions, ry 'n ducktail vas teen Chris Forbes se kar. Die ongeluk gooi vir Muriel uit die kar. Sy lê bewusteloos. Forbes makeer niks nie.

Die ambulans kom en neem vir Muriel na die hospitaal.

Daar het sy 'n miskraam en verloor die seuntjie op vier maande.

Chris Forbes is baie ontsteld daaroor. Hoekom het sy hom nie gesê nie? vra hy homself oor en oor. Hy gaan huil in die toilet. My kind-vrou met die soet, skoon gedagte, dink hy.

Hy gaan vertel sy ma alles, ook van sy getroude vrou se ontrouheid. Soos 'n moeder is sy op haar kind se kant. Hy neem haar na die hospitaal. Hulle gaan kyk vir Muriel in die kraamsaal.

Die verpleegster sê: Sy slaap, moet haar nie wakker maak nie.

Mevrou Forbes vat aan Muriel se hand en soen haar op haar voorkop, en sê: Ek sal weer kom.

In die kar terug huis toe, sê sy ma vir Chris: Ek is nou ouma en daardie kind sal altyd in my gedagte bly.

Chris Forbes ry na Protea Mansions. Hy sê vir homself: Ek ken nie haar woonstelnommer nie. Maar ek moet haar mense laat weet.

By die Protea Mansions ken hulle nie so 'n mens nie. Hy glo hulle nie en gaan kyk die woonstel se huurderslys. Hy sê: Hier is nie 'n Muriel Growé nie. Het sy nie miskien op 'n ander naam haar ingeskryf nie?

Hy probeer toe om haar te beskryf: Sy is goed gebou, met blink, pikswart hare.

'n Bejaarde blanke man antwoord hom: Ek sit altyd hier, namiddags, dan sien ek jou wegtrek met daai kar wat daar staan, beduie hy met sy hand. Dan loop 'n mooi meisie met swart hare weg, dan gaan sy om die draai. Waarnatoe weet ek nie.

Die aand is Chris terug by die hospitaal. Hy soen Muriel en vat haar hand en sê: Sê my, my Sonskyn, waar woon jy?

Muriel antwoord: Wat is meer belangrik? Ek wat jy hier sien en onder pyn is, of waar ek bly? En sy sit haar twee vingers oor sy mond. Een van die dinge wat sy in die bioskoop gesien het.

Chris staan en dink aan sy liefde vir haar en hoe goed God is om haar terug aan hom te gegee het. En hy dink: Ek gaan my lewe regmaak vir die meisie.

Die derde dag kon Aletta dit nie meer hou nie. Sy vra haar huisbaas, Tico Moodley, se seun om te gaan kyk of Muriel terug is by haar werk. Want sy het so 'n snaakse droom van Muriel gehad.

Hy kom terug en sê vir Aletta: Ek hoor sy is in die hospitaal en sy was in 'n kar-ongeluk.

'n Taxi neem vir Aletta en die jong seun van Tico Moodley na die hospitaal. Aletta sit in die kar en sê vir die seun: Gaan kyk jy, dan kom sê jy vir my, dan loop ons saam.

Hy kom terug en sê: Antie, hulle sê by Ontvangs sy is in die maternity ward in die blanke kant.

Aletta is verslae. Sy klim uit die kar en vra: Het my kind dan geboorte gegee? Dit is 'n jammerte dat Muriel haar so weg van my getrek het, dink sy. Ek kon haar nie meer verstaan nie. En die trane loop oor Aletta se wange.

Toe hulle in die hospitaalgang afstap, kom 'n verpleegster uit 'n kantoor en sê: Dit is net vir blankes, julle kan nie inkom nie.

Die jong Indiër sê: Antie, ek sal die suster van die hokkie af gaan bel. Die telefoon is nog nie white declared nie. Ek kry die nommer in die boek.

Aletta gaan in die deur staan en wag. Nou weet ek waar my kind is, so naby en tog so vêr, dink sy.

Die seun kom terug en sê: Die suster sê ons kan maar ingaan, dis af in die gang.

Ou Mevrou Forbes sit by Muriel se bed saam met Chris, en hoor dat mense na Muriel Growé verneem voor die kraamsaal. Het ek reg gehoor? dink sy. Sy staan op en gaan vra vir hulle in die gang – sonder om vir Aletta en die seun behoorlik in die oë te kyk: Vir wie soek julle?

Vir Muriel Growé, sê die seun. Dié is haar ma.

Ou Mevrou Forbes kyk na Aletta, dan staan sy met haar hand op haar mond en dink. Dan sê sy: Can't be. Verstom, teleurgesteld, dwars beskaamd gaan sy weer in die kamer in.

Chris my love, sê sy, haar swart ma is hier. Sy stap uit en gaan sit in die kar.

Chris Forbes sit op die stoeltjie en lag. Hy sê: Ek glo dit nie. Wat is dit met my ma?

Muriel draai haar om en kyk na die deur.

Chris stap uit sonder 'n groet en kyk nie eens na Aletta-hulle in die gang nie. Hy dink hulle is maar bediendes wat daar werk.

Hy kry sy ma in sy kar vir hom wag, en hulle ry huis toe sonder om te praat.

Waar kom my ma aan so iets? dink hy. Dan weer: Muriel wou my nooit sê waar sy woon nie.

By die huis sê sy ma vir hom: My child, ek wil hê jy moet jou oë oopmaak, en toe praat sy woorde wat hy nie graag wil hoor nie.

Sy ma het hom nog altyd regeer en hy het haar nooit terug geantwoord nie. Dit was altyd net: Yes, Mother. Sy laat staan hom met die woorde: Aanvaar dit. Dit is so. Toe gaan klim sy in haar kar en ry weg.

Chris Forbes word amper mal, hy kan dit nie glo nie. Hy lag en skud sy kop as hy daaraan dink.

Die volgende dag word Muriel ontslaan. Chris kom haar haal. Sy is skaam, swak, bang, maar dink net aan haar liefde vir hom. Ek sal hom nooit laat staan nie, dink sy.

Hy, Chris Forbes, kan steeds nie glo dat sy nie 'n opregte witvrou is nie. Al my begeerte kry ek in haar, dink hy.

Sy ma weier nou om hom te sien. Sy sê sy gaan sy vrou vertel, en sy is seker sy vrou sal hom in die tronk laat gooi. Weet hy dan nie dit is teen die wet om met 'n gekleurde vrou om te gaan nie?

Jou vrou, al is sy hoe sleg, bly 'n witvrou en 'n gekleurde vrou se miesies, Chris, het sy ma gesê. Fancy trying to bring a Coloured into our family. What a disgrace!

Met al dié gedagtes in sy kop ry Chris met die stil Muriel na haar woonplek toe. Sy stry nie meer nie. Die Indiërseun het hom klaar gesê waar sy woon.

TERUG BY DIE HUIS

Die jong Indiër maak die hek oop en hulle ry in.

Chris Forbes stap saam met Muriel in. In die buitegebou kyk hy rond en kan sy oë nie glo nie.

Aletta omhels haar kind en Muriel ontvang haar moederliefde, skoon uit haar hart. Dit is uit haar siel en dit raak die ander siel. Is die siel dan nie hoër en sterker as die aardse mens nie?

Chris staan daar. Sonder 'n woord.

Aletta neem nie notisie van hom nie. Sy gaan op haar knieë en dank die Here met die mooiste woorde vir haar kind se terugkeer.

Sy eindig met: Here, vergewe haar dat U haar mooi gemaak het.

Die witman skud sy kop om te voel of hy nog wakker is. Hy word bloedrooi in sy gesig, stamp die vloer met sy voet en sê: She told me a fucking lie, to hell with her!

Hy klim in sy kar en ry weg.

Die volgende dag kom een van T.J. Forbes se werksmense by die Growés aan. Dis 'n kort witman en hy is baie kwaad. Hy staan buite, kyk op die grond en gee 'n koevert vir Muriel. Hy sê: Jou maand se loon, jou vakansiegeld en 'n present. Bly asseblief weg van T.J. Forbes Accountants.

Later dié oggend gaan Mevrou Forbes na die kantoor met 'n poeliesman om vir Muriel aan te kla op die Ontugwet. Gelukkig is sy nie daar nie. Sy kry die een wat die koevert geneem het. En sê vir hom: Kom wys my waar bly die slegte meid.

Hy doen dit.

Mevrou Forbes staan by die deur, want sy is te hoog om in te gaan.

Muriel en haar ma sit op die bed.

Die beskaafde witvrou – Oumiesies Forbes – sê: Neuk jy weer met my seun, laat ek jou arresteer op die Ontugwet. Hoor jy my? skree sy en klap met haar hand teen die oop deur. Sy skop die sementvloer en loop weg.

You dirty bitch, sê sy toe sy terugkyk.

Muriel lê op die bed en huil.

Huil jou hart uit, my kind, troos haar ma. Dit is nie jou skuld nie.

Muriel dink toe terug aan die dae toe sy in die tou moes staan. Haar pa se dood, vir King and Country, was sy dank. Sy getroude vrou met die swart gesig – sy is my ma en 'n ander ma ken ek nie, maal die gedagtes deur Muriel se kop. En sy dink aan die kind wat dood is. Chris se kind.

Aletta sit nog altyd op die bed, met haar eie gedagtes aan haar man se liefde. Hy was 'n arm man en 'n arm man se liefde is sterker en meer edel as 'n bederfde rykman s'n, dink Aletta. Geld, skande, hoerdery kom altyd tussen hulle verhoudings in. Hulle kry seer en dink dan dat geld alles sal regmaak. Jammer dat hierdie Forbes 'n ryk man is, sê sy vir haarself. Hy sal nie 'n tweede kans kry nie.

Aletta kyk na Muriel en sê: My kind, net tyd sal jou treur genees. Daar sal 'n ander kom, jou loon.

ALETTA SE VREUGDE

Jakob Witbooi kom kuier nou vir Aletta elke week op wat hy noem sy rusdag, Sondag. Dan bly hy twee weke weg, maar nooit langer nie.

Een Sondagmôre gee Muriel vir haar ma die beskuitblik waarin sy haar juwele hou. Vat dié vir Ma, sê sy.

Kind, sê Aletta, ek wil nie jou hartseer en jou herinnerings dra nie.

Ma, dit is soos 'n doring wat ek kaalvoet op trap.

Muriel, my kind, ek voel dit saam met jou. Ons sal vir Oom Jakob vra – daar ry hy nou in by die groot hek.

Nadat Jakob gegroet het, is daar altyd 'n het-julle-gehoor? – en dan sê hy wat hy dink hulle moet weet.

Muriel gee hom skaars kans voor sy sê: Die juwele, Ma – en trek haar ma se roksmou.

Aletta vertel vir Jakob en vra: Wat dink Jakob, jy is tog al wat ons in die Jo'burg het.

Verkoop die wêreldsgoed, sê hy. Hy haal die deksel van die blik af, kyk die stukke deur en sê: Hulle is van 'n baie hoë gehalte. Gee 'n tiende vir die blindes, die ander sit jy in die bank. Probeer daai winkel in Breëstraat. Ek sal saam met jou gaan. Geld koop liefde, geld koop verdriet, maar geld bly geld.

Die namiddag voor hy loop, sê hy: Ek is nie T.J. Forbes of sy seun Chris Forbes nie. Toe vat hy Aletta se hand en trek haar na sy trok waar niemand hulle kan hoor nie. Aletta, ek vra jou, sê hy en dit lyk asof sy tong vassteek tussen sy tande, ek vra jou, trou met my.

Aletta kyk hom asof sy wil seker maak wat sy gehoor het. Dit is mos wat ek wil hoor, dink sy.

Ja, antwoord sy, en sit haar hand oor haar mond.

Nou wil Jakob nie dadelik ry nie. Hulle gaan sit weer in die kamer en koffie drink. Muriel kom in en Jakob Witbooi vra: Muriel, sal jy tevrede wees as ek en jou ma trou?

Ja, Oom Jakob, ek sal baie tevrede wees.

Dan trou ons Vrydag, is Jakob se antwoord. Ek het my slaapkamer, my seun kan in my ma se kamer slaap en sy kamer gee ek vir my stiefdogter. Ons laat die magistraat ons trou en ons gee ons eie blessings, lag hy. Muriel is ons getuie, en onthou jou geboortepapier, Aletta.

Ek het 'n ring, Jakob.

Ek ook, antwoord hy. My ma het dit vir my gehou. Gee jou ring hier, dan vat ek myne en ek laat maak een ring.

Hy vat die ring en lag so onderlangs dat sy boepens skud. Gelukkig is jou geboortesteen 'n diamond, sê hy. En jy sal een kry voordat ons die magistraat se deur instap – my erkentlikheid, my Aletta. Jy sal dra wat jou man kan bekostig. Sonder skuld – en hy gee vir Aletta haar eerste druk, met altwee arms om haar lyf. Jakob groet, sê hy. Nou loop ek. En ek het klaar gepraat.

Hy loop en m-m-m na sy Chev toe.

Net hy weet wat hy m-m-m, spot Muriel.

’n Paar dae daarna neem Muriel haar ma na John Orr’s en koop alles wat sy nodig het met die juwele se geld. Aletta se blydskap, vreugde en opgewondenheid maak Muriel se hartseer en teleurstelling ligter. Sy lyk bleek en moeg maar praat nie oor Chris Forbes nie. Sy bêre alles binnekant.

Terug by die buitegebou sak hulle moeg op die stoele neer. Die pakkies lê die bed vol.

Aletta sit diep ingedagte. Muriel, sê sy, snaaks, ek het nooit van ’n kroeskopman gehou nie. Nou wil ek sommer my hand deur daai kroes hare steek en dit daar hou.

Muriel lag: Ma dink nog aan Vuuruitgebrand se hoogmoed met armoed, sê sy.

DIE LANG DAG

Vrydag kom die taxi en neem vir ma en dogter na die magistraatskantoor.

Jakob Witbooi sit oorkant die gebou in sy Chevrolet en wag vir hulle. Voordat hulle die magistraat se deur instap, vat Jakob Aletta se hand en sê: Met dié ring verloof ek jou, en hy steek Aletta se vinger deur die diamantring. Wag laat ek seker maak, sê hy. Ja, hier is die vyf pond en hier is die trouring. Is julle twee tevrede om die lewe met my te deel?

Ja, Jakob, antwoord Aletta.

Ja, Oom Jakob, beaam Muriel.

Dit duur nie lank nie. Hulle is klaar getroud en is op pad na Aletta se buitegebou. Toe sê Jakob Witbooi: Nou laai ek jou sak en pak na Albertsville.

Hulle laai. Voordat Muriel die besem op die trok gooi, vee sy die kamers skoon en sê: Hier lê ook herinneringe net soos op Vuuruitgebrand.

Jakob sluit die deur en vat die sleutel na die huisbaas.

Dankie, Meneer Moodley, ek vat haar saam, sy behoort nou aan my.

Na die troufees wat Ouma Witbooi vir hulle gegee het, neem die gom sy bruid na die dieretuin – iets waarvan Aletta altyd gepraat het. Hulle loop die dieretuin deur, hand aan hand, en Jakob is op sy beste. Hy ken die laaste ding, dink Aletta, wanneer sy nou en dan sy hand 'n druk gee.

Sonsak vat hy sy bruid na die bioskoop. Sy moet in die hoek sit. Sy vryf haar twee ringe met die ander hand.

Aletta sê innerlik: Vader, ek sê dankie. En wees tog met Muriel wat so eensamig is.

Nou wil Jakob so vas soos hy kan teen haar sit. Aletta kry onverwags 'n soen – dan moet sy haar sakdoek neem om die nat kol af te vee. En as daar op die skerm gesoen word, probeer hy vir Aletta net so 'n soen gee. My darling, sê hy, nes die ou in die prent.

Terug huis toe na die lang dag raak Aletta amper aan die slaap. Hulle kry vir Muriel wat nog wakker opsit. Die ouma en Jakob se seun die slaap. Muriel dek die tafel soos die ouma haar gesê het, en gee haar ma en stiefpa se aandete.

Toe hulle klaar geëet het, dek Muriel af. Nag, Ma, nag, Oom Jakob, sê sy toe alles klaar is en gaan kamer toe.

Ag, my arme kind, dink Aletta.

Die huis is doodstil. Jakob neem vir Aletta na sy kamer. My bed, wys hy.

Aletta gaan op haar knieë en sy bid: Here, ek sê dankie dat U my weer 'n man gegee het.

Jakob hoor wat gesê is, en gaan kniel langsaan sy vrou. Ek sê ook dankie, my Vader.

Maar toe kom die jare se hartseer en die nuwe blydskap bymekaar. Sy trane rol, hy snik: Here, prewel hy, laat ek haar werd is, dankie, Here.

In die bed van die trou-aand sê Jakob: Ek wonder waarom ek so lank gevat het om jou te vra. In die trok vanaf Vuuruitgebrand voel ek al so 'n ietsie toe jou skouer my skouer raak. Hy lag saam met die trane wat droog geword het.

Ek weer, gesels Aletta, het gehoop jy vra my elke keer as ek sien dis jy wat die groot hek inry. Vir my het Jakob die enigste man geword.

Lê in my arm, sê hy, lettuce is mos slaai in my taal. My Slaai, lê in my arm, laat ek jou teen my hart druk.

Die opgewondenheid van die lang dag het altwee uitgeput. Jakob houvas sy vrou, en sê: Ek hét jou – daai ander goedjies kan wag vir môre. Môre is nog 'n dag en ek kan my oë nie oophou nie.

Aletta soen haar man. Naand, my Jakob.

MURIEL SLAAP ALLEEN

Muriel lê alleen op die groot bed, haar ouers se bed. Dit is jou geboorteplek, het haar ma gesê, waar jy jou eerste tet vol melk gekry het.

Muriel het die bed en haar ma se rug gewoond geraak. Nou lê sy alleen. Sy verlang haar ma vir die eerste keer in haar lewe. Sy probeer alles om net nie aan Chris Forbes te dink nie. Hy het haar te seer gemaak. Sy mag nie meer aan hom dink nie. Jakob Witbooi, prewel sy oor en oor, jy het my ma gesteel. Jy is 'n dief, jy is 'n dief, dief, dief . . .

So raak sy aan die slaap.

Saterdagoggend kry Jakob sy eerste koppie koffie in die bed. Iets wat sy eerste vrou hom nooit gegee het nie.

Ek sê dankie, my Slaai, sê hy.

MURIEL BY DIE POSKANTOOR

Muriel kry werk by die Katfontein-poskantoor as 'n telefonis. Sy pas gou aan en almal is gaaf met haar. Die posmeester begin om met haar te neuk. Mens kan hom nie blameer nie, want sy steek uit tussen die ander meisies. Hy het altyd 'n dosie Black Magic-sjokolade vir haar. Sy neem dit erkentlik en deel dit voor hom met die ander meisies.

Hy sorg dat hy haar alleen kry. Nee, maak hy beswaar, die sjokolade is vir jou en net vir jou, my skat. Muriel lag net haar laggie.

Die telefonismeisies is altyd plesierig en daar is genoeg geselskap, altyd iets nuuts om te hoor. Mense begin Muriel se telefonisstem gewoond geraak. Hulle vertel dit klink so hartseer en hulle weet dadelik dis Muriel as sy praat. Almal hou van haar.

Toe kom dit dat die posmeester sê hulle wil nuwe lêers vir die personeel oopmaak, en almal moet sê waar en wanneer hulle gebore is.

Toe laat hy die geboortesertifikate aanvra.

Die dokumente kom, en dit is Muriel se dag af. Muriel se sertifikaat sê: *Kleurling*. Die posmeester kyk en kyk asof hy dit nie wil sien nie. Hy bloos en gaan sê vir een van die meisies: As sy môre inkom, gee haar dié.

Die meisie sien daar staan: *Kleurling*. Sy trek haar mond skeef en knyp een oog toe en sê: Haai, sy is dan 'n hotnot!

Gee dit maar terug vir my, sê die posmeester, ek sal haar moet fire.

Die volgende dag loop Muriel by die telefoonsentrale in. Haar linkeroog die spring, sy voel daar is iets wat nie reg is nie. Sy groet soos gewoonlik, vry en vrolik.

Die meisies kyk haar aan asof sy stink. Hulle is kwaad vir haar, hulle wil haar uitskop uit die heilige plek wat sy nou besmet het. Hulle praat sonder om te besef dit maak haar seer.

En Muriel hoor: Ek het haar altyd vir een van ons gevat. 'n Witmens.

'n Ander sê: Ja, wie sou dit gesê het.

Die een met die vrot tande – ou Tandeborsel – soos hulle haar noem agter haar rug, sê: Die Kaapse meid het sjokolade gekry, ons wit dames was nie goed genoeg vir hom nie.

Die posmeester hoor alles wat gesê word.

Muriel staan soos 'n brakkie omsingel deur 'n trop wolwe.

Kom na my kantoor, skreeu die posmeester.

Toe sy by die kantoor kom, gooi hy die geboortesertifikaat neer op sy lessenaar. Vat, ons soek nie jou soort hier nie – en hy is rooikwaad. Skaam-kwaad. Gaan wag buite, jou baas sal jou roep vir jou geld.

Muriel staan buite, daar is 'n motreëntjie wat val. Sy sê vir haarself: Ek weet nie meer wat sonde is nie. Wat het ek verkeerd gedoen? Dis my pa se mense, ek wonder of hulle daaraan dink. Sondig hulle dan nie?

Na 'n ruk sê die posmeester vir 'n meisie: Gaan roep daai meid.

Dit is toe die een wat Muriel as haar maat beskou het, hulle was baie eie.

Sy gaan sê vir Muriel: Die baas roep jou, maak gou, Ousie.

Hy gooi haar koevert op sy lessenaar. Sorg dat jy hier wegkom, jou plek is in die kombuis, is sy laaste woorde.

Hierdie episode het vir Muriel baie onverwags gekom. Sy loop in die motreën huis toe en kan nie daaroor kom nie. Sy sê vir haarself oor en oor: Kan dit waar wees?

NA MURIEL SE VERAGTING

So loop sy kop onderstebo. Met elke voetstap is dit vir haar asof sy hoor: Sorg dat jy hier wegkom.

Sy loop sonder om te kyk oor die straat. 'n Bakkie raak haar net-net, gelukkig spring sy 'n tree agteruit. Maar die bakkie ry vas teen 'n sementpilaar en die botsing laat haar tot haar besinne kom.

Muriel gaan staan op die sypaadjie en sien wat sy moet glo – 'n man wat uit die bakkie geval het en doodstil lê.

'n Vrou kom sê vir haar: Ek het alles gesien, dit is jou skuld, en sy stap weg.

Die man voor Muriel op die grond het 'n bruin gesig met swart hare. Hy kyk haar vas – net vir 'n oomblik – toe val sy oë toe.

Daardie gesig sou sy altyd weer in haar drome en diepste gedagtes sien. Die man lê daar, die bloed loop. Daar is baie mense om hulle, mense wat help. Muriel staan geskok, jammer, verward. Sy weet nie hoe sy daar weggekom het nie. Op pad huis toe dink sy: Hy verloor sy lewe, en ek verloor my werk. Wie se skuld is dit? Ek weet nie.

By die huis praat sy nie. Sy wys net die geboortesertifikaat. Jakob en Aletta kyk daarna en sê: Kleurling.

Ja, beaam Muriel, dié stukkie papier het my uit my werk geskop.

Nou weet jy waar jy staan, sê Jakob Witbooi. Die tyd sal kom, my stiefdogter, wanneer wit en swart sal saam sit en kyk hoe mooi speel hulle kinders. Dié is maar 'n periode van verdrukking wat ons moet deurmaak. Party van ons sal dit oorleef. Daar sal nog gepraat word van vergifnis of versoening. Maar ek weet nie hoe lank sal dit nog duur nie, sê hy en trek sy skouers op.

DIE MAN MET DIE SWAZI-AKSENT

Muriel kry weer werk. Dié keer by 'n Indiër se groothandelwinkel. Sy kry 'n verhoging om kliënte te bedien in die voorkantoor.

'n Man kom koop sy maandlikse voorraad by die Indiër, 'n paar maande nadat sy daar begin werk het. Hy praat Engels met 'n Swazi-aksent.

Muriel dink: Waar het ek jou gesig gesien? Dit wil haar nie bykom nie. Ag! Die Jo'burg is groot en daar is party wat mekaar se fatsoen aanneem. Hy is regtig enigbaar, so op sy gemak, glimlag sy met haarself. Sy hoor haar baas noem die man Andrew, en die ander sê: Mister Dunn.

Andrew Dunn sê vir een van die werkers: Ek sien julle het 'n wit-meisie wat vir julle werk.

Nee, antwoord hy, sy bly in Albertsville.

Muriel hoor hy praat Swazi met die werker, sy verstaan niks, maar sy sien hulle kyk na haar.

Die volgende keer toe hy weer kom, reën dit baie hard. Hy het klaar gekoop en gelaai. Dit is toemaaktyd en die Indiërbaas sê: Lock-up time, all out, please.

Andrew Dunn en Israel, sy karbestuurder, sit in sy bakkie voor die winkel. Toe sy verbystap huis toe, vra hy: Lady, dit reën so, kan ek jou huis toe neem?

Muriel staan nog, sy kom nie nader nie.

Hy vra weer: Lady, gee jy om laat ek jou huis toe neem?

Muriel dink: Dit is wat ek gehoor het, en gaan nader. Hy maak die deur van die bakkie oop en sy klim in. Sonder 'n ja of 'n nee.

So het dit aangegaan, aangegaan. Elke naweek is die Dunn-bakkie by die groothandelwinkel. Hy stap in en groet, kyk na Muriel, en sê met 'n sug: Ek wag buite tot jy klaar is.

Na 'n tydjie word die Witboois hom gewoond en hy is baie gelukkig. Aunty Aletta en Uncle Witbooi soos hy hulle noem, kyk uit na sy naweekkuier – veral ook die seun, want dan gaan hy en Muriel saam in die bakkie na die bioskoop.

Jakob sê vir Aletta: Ek weet nie waar slaap hy nie en ek gaan hom ook nie vra nie. Ons gaan die stoorkamer mooi skoonmaak met twee beddens vir Andrew en Israel.

Van toe af slaap Andrew en Israel die nag oor.

Een aand op pad terug van die bioskoop af sê Andrew vir Muriel: Ek wil jou graag my ma gaan wys, of laat ek dit so stel, my ma vir jou gaan wys.

Goed, sê Muriel, dan ry ons Vrydag na jy gekoop het. Ek sal my baas afvra.

Die aand dink Andrew Dunn: Ek hoop sy aanvaar my ma – or else. Or else. Or else. Ek sal nooit my ma afstaan nie al maak dit hoe seer. My ma wat saam met my lag en saam met my huil, vandat ek myself ken.

Muriel se suitcase is agter op die bakkie, hulle is drie wat voor sit – sy, Andrew en Israel, wat bestuur. Sy is baie plesierig en vertel vir Andrew hoe hulle saam met Jakob Witbooi van Vuuruitgebrand gery het.

En nou is ons op pad na Bremersdorp toe, sê hy.

Die gesels maak die pad kort. Hulle ry later op 'n grondpad. Toe hulle voor 'n groot hek kom, klim Israel af en maak dit oop.

Andrew sê: Hier is ons, daar is my winkel, en hy wys met 'n swaai van sy regterhand. Hier is my plaas, die huis is net om die draai.

Hulle hou weer stil, dié keer voor die huis. 'n Kort swartvrou loop van die stoep af. Andrew Dunn klim uit en loop vinnig na die vrou. Hy omhels haar met sy regterarm, hy soengroet haar, neem haar hand en trek haar na die bakkie. Hulle praat Swazi.

Muriel weet sy moet ook uitklim en haar hand gee vir die bediende wat hom seker grootgemaak het. Sy lyk na 'n opregte Swazi-vrou. Dan dink sy skielik: Maar hy het haar gegroet asof sy sy eie ma is.

Wat goed genoeg is vir Andrew, is goed genoeg vir my, besluit Muriel. Sy gee haar hand: Muriel, sê sy.

Die swartvrou gee haar hand 'n druk en sê: Andrew se ma.

Toe sê Missies Dunn: Gaan was julle twee, dit is laat, ek sal die kos op die tafel sit. Sy praat Engels met 'n Swazi-aksent, net soos haar seun, hoor Muriel.

Muriel sê niks, sy doen net wat Andrew se ma sê.

Aan tafel dank Andrew vir die ete in Swazi. Hy sê: Muriel, jy moet my verskoon, ek kan nie 'n ander taal met my ma praat nie. Swazi is onse taal, sê hy en vat aan sy ma se skouer.

Wat 'n man! dink Muriel. Hy sal jou nie in die steek laat nie. Hy is glad nie skaam om 'n ma te hê wat swart is nie en hy is aantreklik. Net jammer van sy arm.

MURIEL EN MA DUNN GESELS

Na ete sê Missies Dunn: Die bediende het gaan slaap. Ek dek die tafel af, dan was ek die skottelgoed.

Sit, Ma, sê Muriel. Sy staan op en stoot haar stoel terug onder die tafel. Ek gaan die skottelgoed was.

Muriel het seker nie geweet watter groot ding pas gebeur het nie. Ma en seun sit spraakloos.

Muriel kom sit saam in die stilte toe sy klaar is.

Andrew vat haar hand en sê: Kom. Hy vat haar op die stoep uit, sy sien hoe blink sy oë. Sy trane wil val en sy soen hom.

Andrew Dunn vat haar twee hande in sy een hand en sê: Trou met my, please, please.

Muriel antwoord: Ek behoort aan jou.

Hy soen haar hand. En kyk haar in die oë. Toe onthou sy met 'n skok wat deur haar lyf trek: Dit is net hy, daai verlore kinderkyk. Dit is net hy, net hy, net hy. Hoe kon ek dit vergeet het? Hoe kon ek? Hoe kon ek?

Hulle staan en omhels mekaar en sy vryf die skouer met die afarm.

Toe begin Muriel te huil, en Andrew dink dit is van blydskap. Hy probeer haar troos, maar dit maal net in haar gedagtes: Dis deur my wat hy net een arm het.

Ek sal die arm se plek vat, sê sy, verstom oor haar eie woorde.

Hulle gaan binne, hy praat met sy ma.

My dogter, my dogter, verwelkom Ma Dunn vir Muriel in haar familie.

Sy spring op, omhels vir Muriel en soen haar. Ons gaan nou celebrate, sê sy. Sy gaan haal 'n groot kruik met maroelabier.

Na die tweede glas gaan Andrew slaap. Ma Dunn sê: Nou is dit net ons twee vroumense. Vertel my van jouself.

Muriel praat, die maroelabier help haar om te vertel.

Ma Dunn sê later: Nou ken ek vir Vuuruitgebrand net so goed soos jy. Nou sê ek jou van ons – my man was ook 'n Andrew Dunn en is nou sestien jaar dood. Sy pa was ook 'n witman gewees. Hy kon oor en oor nog 'n vrou geneem het. Hy was nie soos die ander Swazi-mans wat net agter wat tussen 'n vrou se bene sit aanhardloop nie. Hy het altyd gesê hy het net plek vir een vrou in sy hart. Ons het nie in die kerk getrou nie. My man het vir my vyftien beeste uitgehaal. Hy gaan toe skierlik dood, sy kind was maar 'n paar jaar oud. Ek is seker hulle het hom getoor – en Ma Dunn gaan aan die huil.

Muriel sit haar hand om die ma se nek en troos haar. Die maroelabier het vergete emosies na vore laat kom. Hulle hou op huil, dan na nog 'n glas maroelabier vloei die trane weer.

Andrew het al geslaap, nou is hy wakker gehuil. Hy loer in by die deur, skud sy kop en loop weer kamer toe.

Ma Dunn sê: Andrew het hier gekom met 'n mooi vrou. Maar nie so mooi soos jy nie, sê sy vinnig. Sy het gesê sy is 'n Cape Coloured, asof ons niks is nie. Ek vergeet haar naam. Ag! dit maak nie meer saak nie. Die Ford wat in die stoor staan, het net een maal Jo'burg toe gery. Andrew het dit gekoop om haar hier te bring, laat sy my kan sien of ek haar sien, ek weet nie. Toe hy my groet soos 'n goeie seun, klim sy uit die kar en sê: Wie is die forward bediende? Haar plek is in die kombuis.

Andrew sê: Klim! En hulle ry terug Jo'burg toe. Sonop is hy terug en ry die kar in die stoor. En daar staan dit nog net so, tot vandag toe.

Seker so vyf jaar gelede het Andrew 'n ongeluk in Jo'burg gekry. Hy het die dag eers vir Israel by die Indiër se winkel laat staan. Israel wag en wag. Al wat kom, is Andrew. Die Indiër het orals gebel en niemand het vir Andrew gesien of gehoor nie. Israel kom toe hier aangery met die bus. Toe huur ek 'n bakkie, want ek wou nie daai bad-luck Ford gebruik nie.

Ons het daai hele Jo'burg platgery. Na vier, vyf dae hoor ek eers waar hy lê. Hy het toe pas bygekom. Die arm moes hulle afsit. Ons bring hom huis toe, hier na ons Bremersdorphospitaal. Hy vertel toe wat gebeur het: Hy het padgegee vir 'n witvrou, anders het hy haar doodgery. En die mense wat gesien het, sê sy het glo weggehardloop.

Jy het nie nodig om my te vertel nie, dink Muriel. Ek was die witvrou wat net verkleur was. Dit sal my geheim wees. Hoe sterker my geheim, hoe sterker gaan my liefde vir julle twee wees.

Die glas is leeg, daar is stilte. Muriel maak die glase weer vol en sê: Ons huil saam, en ons skink saam.

Ma Dunn vat 'n mondvol maroelabier en sê: Toe het Andrew weer 'n Nelspruitmeisie, 'n Rosie Malan. Ek het eers baie saam Jo'burg toe gery, ek kon nie die angs vat om alleen by die huis te sit nie. Voor haar huis sit ek die dag met Israel in die bakkie en wag. Dit was die eerste keer na die ongeluk dat Andrew weer daar kom. Andrew stap na die hek en maak dit oop. Rosie sit op die stoep en staan op.

Hulle praat 'n paar woorde. Toe hoor ek haar sê: Nee, Andrew, ek kan nie met 'n man met net een arm trou nie. My ma sê ek sal agter jou moet kyk soos 'n bediende. Goodbye.

Andrew kom teruggestap soos 'n verleë hondjie. Kind, sê Ma Dunn, en sy vat Muriel se hande en sy hou hulle vas en druk hulle.

As Rosie Malan net weet hoe seer sy my gemaak het. Op pad van Nelspruit het ek net die drie woorde gesê: Liefde maak seer.

Kind, hoe sê jy hoe's jou naam?

Ek is Muriel.

Wel, Muriel, woorde kan gevaarlik wees, woorde kan seer maak, woorde kan gesond maak.

Ek weet, ek weet, beaam Muriel.

Daar is stilte. Ma Dunn is diep in gedagte. Sy dink wat Rosie en die mooi meisie wat gesê het sy is 'n Cape Coloured, aan Andrew gedoen het. Toe sê sy: Ons swartmense het ons eie mooiheid. Eendag sal 'n plat neus en vol lippe elke swartmens se begeerte is. Met al die wit bloed wat nou inkruip, sal daar eendag min mooi opregte swartmense wees. Ons sal net ons hare behou. Die witman sal homself nog uit sy vel baster.

Die ouvrou sit haar hand op Muriel s'n. Kind, sê sy, die liefde is die sterkste mag op aarde, want dit is God se werk.

Muriel dink: Ek sal hierdie swartvrou as my ma aanvaar. Dit is wat Andrew sal wil hê. Dat ek sy ma meer liefhet as vir hom.

Ma Dunn sê: Kom, ek wys jou waar jy slaap.

DIE TROUDAG HET GEKOM

Die troudag het gekom.

Al die Witboois is daar, Jakob is op sy beste, sy boepens hou nou meer wind.

Aletta dink: Die kind, sy was nie tevrede met een swart ma nie, nou het sy twee swart ma's. Sy lyk baie gelukkig, my arme kind. Die Here gee volop, of niks nie – altwee is moontlik. Die ontvanger het geen keuse nie.

Daar is beeste geslag, en wat dronk maak, loop soos water.

Missies Dunn bring vir Aletta en Jakob onder die groot boom in en sê: Julle kan nie julle dogter weggee asof sy niks is nie.

Sy roep vir Andrew en sê: Vra hierdie mense wat is hulle bruidskat.

Hy sê: Uncle en Aunty, my ma se geloof is my geloof, wat is die bruidskat? Ek wil nie 'n vrou hê wat weggegooi word nie.

Jakob kyk vir Aletta en Aletta kyk vir Jakob. Hy sê: Praat jy, my Slaai.

Aletta antwoord: Ek vra die eerste dogter se naam moet Aletta wees en die eerste seun Andrew en hulle moet in Ma Dunn se huis grootword.

Hulle vat elkeen mekaar se hande en staan in 'n kring en sê: Klaar gepraat, so sal dit wees.

Muriel weet nie hiervan nie.

Voor sonsak neem Andrew Dunn sy vrou in sy nuwe Mercedes Benz na Lourenço Marques vir haar wittebrood. Muriel, sê hy, laat ons hier wegkom. Ek kan nie dronk mense vat nie.

Muriel dink: Wat 'n ander soort liefde, so skoon, so vry, sonder vrees. Sy God sal my God wees. Ma Dunn het gesê: God is liefde.

Daar was vrede en geluk in die Dunns se huis.

Na die geboorte van Muriel en Andrew se eerste kind, klein Aletta, lê Muriel en dink: Wat kan ek doen vir dié man? Ek wil hom tevrede stel. Hoe kan ek hom meer as my liefde gee? My man, as hy sy ma geld gee vir 'n rok, gee hy my ma gelykop.

Hy wat my gevat het net soos ek was – gebreek, alleen, verstote.

Here, ek sê dankie vir Andrew Dunn.

IN DIE PARK

Die jare stap aan. Daar het 'n klein Andrew bygekom.

Muriel kyk altyd uit na die maandlikse inkopies wat in Johannesburg gaan koop word.

Hulle ry die dag verby Joubertpark en hulle het die kinders by hulle. Andrew sien die swaai. Hy sê Muriel moet stilhou, want dit is sy wat die bakkie bestuur.

Ek gaan vir klein Aletta bietjie op die swaai sit, sê Andrew. Dit is nog vroeg en daar is nog nie ander kinders in die speelpark nie.

Muriel sien 'n man doenig by die waterkraan. Hy vee sy oë skoon met sy nat vingers. Hy was sy hande, haal 'n kam uit sy agtersak en kam sy hare. Toe loop hy na 'n parkbank naby die bakkie.

Muriel dink: Maar daai loop ken ek, of hoe?

Die son begin skerp word en sy sit haar donkerbril op om te kyk hoe swaai haar man vir klein Aletta. Sy sit met klein Andrew op haar skoot. Die boemelaar sit nou op die parkbank. Muriel kyk vir hom en dink: Hy lyk soos iemand wat ek ken. Sy probeer onthou maar dit ontgaan haar. Ag! Ek verbeel my seker, sê sy vir haarself.

Die man kom nou aangestap na die bakkie. En Muriel dink: Wie het tog so geloop?

Hy kom staan voor haar, verleë in 'n verbleikte hemp en verkreukelde broek.

Mevrou, sê hy, ek vra net 'n sjieling vir brood.

Sy kyk sy gesig vol baard en sy dun hemp. Toe haal sy 'n tiensjielingnoot uit haar sak en gee dit vir hom.

Verbaas klap hy sy hande toe, kyk op en sê: God bless you, Madam.

Muriel dink: Daai stem ken ek – maar waarvandaan?

Dis toe wat klein Aletta aangehardloop kom. Mamma! Mamma! roep sy uitgelate. Haar pa maak die linkerdeur oop en hulle klim in.

Voor Muriel die bakkie aanskakel, kom die skok: Dis mos hy! Dis net hy! Haar hart begin hamer. Ek is bly ek het die donkerbril opgesit, dink sy en draai die sleutel.

Hoor jy dan nie, Muriel? vra haar man. Ek het al twee keer gesê: Kyk daai mooi lelie. Ons kort so een in die voortuin.

Waar, my man? vra Muriel, en haar stem bewe skierlik.

Daar, wys hy. Is dit nie mooi nie, my Muriel?

Sy kyk. Sy hou haar gesig weggedraai van die boemelaar maar gooi tog haar oog op die bakkie se buitespieël. Soos in 'n flits sien sy die geboë figuur.

A! sê sy soos iemand wat diep seer gekry het. Toe kyk sy skrams na haar man en trap die petrol.

Met haar oë sekuur op die pad, ry Missies Muriel Dunn 'n ou, lewende droom uit haar lewe, vir altyd.

Die boemelaar staan nog daar. Hy kyk stip na die bakkie wat begin loop. Hy gryp sy bors vas asof dit daar pyn.

Ek ken tog ook so 'n naam, dink hy. Daar is net een met so 'n naam. Die stem ken ek ook. Dit is net sy. Muriel . . . sê hy, so sag dat net sy lippe roer.

Hy bly so staan en kyk hoe ry die bakkie weg, weg, weg uit sy lewe.

Chris Forbes draai sy gesig na die jonk winterson se warmte. In sy eie taal fluister hy, so asof hy met iemand by hom praat: The years have not dimmed my love for you, my beloved. How wrong I was! It was too late when I went back to look for you, Muriel. You had gone. All of these years I have looked for your face. But in vain. Until now.

Hy kyk terug in die leë straat, en dis of hy luister om weer daardie stem te hoor. Toe bid hy: God, let this not be one of my unanswered prayers. I ask you just to hear this, my last prayer. I'll never ask again: Bless her, my Father, bless her.

Toe loop hy vooroor, met die hande diep in sy sakke, tot by sy enigste troos – die parkbank.

KWELA MODISE
3/2/1960 – 14/11/1982

Onverskrokke offer hy sy jonk lewe
op die altaar van geregtigheid teen
die donker magte van apartheid
sodat mense – wit en swart –
mekaar kan verstaan. Ons mag hom
nie vergeet nie.

IN DIE KOELTE OM DIE DRAAI

Die swart moeder staan in die koelte om die draai, daar waar die son net bolangs warm maak, by haar wasbalie. Hulle noem dit: Ou Emma se wasbalie. Die windjie sny 'n fyn, sagte sug. Ma Emma staan met ompaar wolkouse aan, haar ore toegemaak met 'n doek. Daar is 'n nat seepkol op haar voorskoot en 'n stuk boerseep in haar hand.

Ma Emma dra haar water aan in 'n ou emmer vol duike. Ou Emma se emmer, sê die mense van Molopo-stat.

Sy is 'n groot vrou, in jare en in liggaam. Ounooi Smuts sê: Ou Emma het nie moeite nie, sy ken haar werk.

Maandae was sy en Dinsdae stryk sy by die Smutse in Koolstraat, Mafikeng. Dan weer Donderdae en Vrydae vir die Robbertse – die een met die houtbeen, nie die skoolmeester nie.

Na werk neem sy haar bondeltjie. Dis 'n wit gewaste lap en daarin het sy die helfte van haar dag se kos. Dit is vir Kwela, sê sy as sy die lap se punte vasknoop. Sy vra ou koerante vir Kwela om te lees en om haar kombuisrak mee te versier. Of sy maak gom van water en meel en plak haar sinkplaatmure toe met koerantpapier om die winter se koue te verminder.

Dis Ma Emma.

KWELA – EMMA SE KIND

Vra jy Ma-Emma se kind sy volle naam, sê hy: Kwela Modise. En dan voeg hy by: Form Six.

Sy pa het glo myn toe gegaan vir werk en die mense sê hy het verdwyn. Die sleg, vertel die mense van Molopo-stat, hy het net so vir Emma en sy baba weggegooi.

Toe was Emma al 'n groot vrou. Sy het Kwela van kleins af vertel: My kind, jou pa, my man, het 'n ongeluk gekry op pad skool toe. Hy was 'n skool-teacher en die mense het vir hom Teacher Modise gesê.

Die woorde het Kwela geglo vir altyd. Hy hoor ook van Ma Emma: Ek het alles verloor, net jou pa se liefde, wat in jou gebore is, hou my aan die lewe.

So is skool-teacher, skool-teacher van kleins af in sy kop gehamer. Jy, my kind, sal in jou pa se trappe loop. Vir jou sal ek my hande deurwas – so het Ma Emma gepraat.

Op skool was Kwela die beste bo almal wat sy jare dra. Klere altyd netjies, met skoene wat gepolitoer is. Die mense het gesê: Hy is sy ma se enigste kind en hy is al wat sy het om te sorg.

Sondae gaan ma en kind gereeld kerk toe. Hulle sit en houvas mekaar se hande.

Elke dag na skool kry hy sy ma by die werk. Hy dumela haar met groot vreugde. En Ma Emma sug uit haar hart: Kwela!

As Ma Emma klaar gewerk het, en dit is huistoegaantyd, rol sy die ou koerante op en sit dit onder Kwela se arm en sê: So loop 'n gentleman.

Kwela is gehoorsaam vir sy ma en kom min by ander mense.

So is dit met Kwela en sy ma.

DIE NUWE BANTOESTAN

Skielik verander die Modises se lewe. Die Smutse wil verhuis na 'n ander dorp. Hulle wil nie in 'n Bantoestan woon nie. Ma Emma het gegaan om te groet. In haar hart dink sy: Dit is 'n goeie meid se plig om haar baas af te sien. Sy staan buite die kombuisdeur.

Die klein meisiekind kom uit en sê: Hulle sê jy kan maar loop, ons het jou nie meer nodig nie.

Die aand lê sy wakker en sê: Kind, my hart is seer, die Smutse het gemaak asof ek nie bestaan nie.

Voor sy die kers uitblaas, sê sy: Moet ons altyd vertrap en verneuk word en 'n onmenslike loon kry? Is swart hande se werk dan nie werk nie? Ek wonder wat dit is wat die lewe so swaar maak.

Maar Kwela slaap al en haar vrae bly onbeantwoord.

Kwela moes na skool werk om 'n ietsie in te bring. Hy is tevrede solank hy nie kaalhande huis toe gaan nie. Hulle kry swaar, maar die swart regering se mense besit almal nuwe motors. Baie aande is daar nie kerslig by Kwela-hulle nie, water het die plek van koffie gevat. Maar bedags word daar trollies vol van dit wat nodig is om lekker te lewe, uit die OK gestoot na die blink motors. Die rykes lag met mekaar en is tevrede met die lewe.

Kwela sien die dinge. Hy ken party van die rykes. Hy groet hulle. Hulle kyk weg asof hy 'n fout begaan het. En hy sê vir homself: 'n Gesig bly 'n gesig, al is die pruik hoe duur.

Een middag staan Kwela in die winkel – Ma Emma het hom gestuur vir 'n bottel Borstol. Dis al wat my bors help, het sy gesê. Die vrou wat die kontant neem, skuif die rand terug en sê: Tien sent kort – volgende.

Toe hy by sy huis kom, het sy ma aan die slaap geraak na die vorige slaaplose nag. Slaap, slaap, Mmawe, dink Kwela. Hy neem die geldsakkie en maak die deur saggies toe.

Hy loop met die straat af, oë op die grond. In die paadjie tel hy agt sent op. Dis twee sent kort, maar hy loop. Here, asseblief, Here, asseblief, smeek hy. Hy staan en vee sy trane skoon met sy hand en kyk rond. Hy sien onder 'n boom lê twee Coca Cola-bottels, asof dit daar vir hom neergesit is. Hy kyk weer rond: Ag! sê hy, die bottels behoort aan die boom en die boom is almal se boom. Dankie, Here.

Hy stap die kafee binne, sit die bottels op die toonbank, en neem die geld sonder om te tel. Toe het hy genoeg vir Borstol, 'n brood en 'n pakkie suiker. Die nag slaap Ma Emma tot dagbreek die volgende oggend, na 'n groot lepel Borstol, 'n stuk brood en suikerwater.

Die oggend staan hy op en neem die wateremmer na die put. Hy gooi die water in 'n skottel en was sy liggaam buite, uit die wind.

Ma Emma draai haar om op haar hurke op die vel wat haar bed is. Kwela se bed is ook 'n vel – die erfenis van hul voorouers.

Kwela kom terug van buite af. Hy weet hy moet langsaan sy ma op sy knieë gaan.

Emma bid, dan bid Kwela. Die sinkkaia loop oor van liefde. Ma en seun is gelukkig net om saam te wees.

Kwela neem die Bybel, hy maak dit oop sonder om te kyk. Hy lees: God is liefde – hy glimlag gerusstellend en lees verder. Dankie vir die bottels, Modimo, sê hy toe hy klaar is. Hy maak die Bybel toe, hy kan nie verder lees nie. Hy dink sonder dat hy iets op sy gedagte het. Hy gaan staan buite, want sy ma wil opstaan en aantrek.

Dumela, groet Kwela sy ma sommer van buite af en toe loop hy. Toe hy hom kom kry, loop hy in die dorp se paadjie. Die skool gee nie kos nie, dink hy. Sy boeke lê by die huis tussen sy komberse. Hy het hulle weggesteek.

En sonder dat Kwela dit regtig besef, het die groot verandering in sy lewe begin. In die loop vra hy die Here vir werk. Enige soort werk, Modimo, vra hy. Dan droom hy 'n wakker droom. Hy sê vir homself: Wat gaan ek met al die geld maak?

Hy lag met homself en kry lekker.

Voor die OK kry hy seuns van sy ouderdom en kyk hulle deur terwyl hy op die sypaadjie sit en water uit 'n leë melkhouer drink. Hy is honger.

Die seuns is vuil, hulle praat sy taal nie mooi nie en hy pas nie in nie. Hy sien hulle is bedelaars – ongeleerdes.

Hulle dink anders en sê vir mekaar: Hy is te skoon.

Kwela leer vinnig dat hulle nie dom is nie en vinniger as hy dink. Hulle weet hoe om te steel, te lieg en aan die lewe te bly, wat die omstandighede ook is. Sonde is nie deel van hulle bestaning nie – maar oorlewing is.

Boetie, soos Kwela hom leer ken het, houvas 'n halwe bruinbrood en gee hom die ander punt. Breek, sê hy.

Terwyl hulle eet, gesels die seuns oor een wie se ma lank siek gelê het. En Boetie sê: My ma is in 'n diep gat gesit en toegegooi.

Hulle sit stil asof hulle klaar gepraat het.

Boetie loer na Kwela en dink: Jy sal nie lank so mooi skoon bly nie.

Kwela tel 'n stuk koerant op, maak dit oop en kyk daarna.

Boetie kyk vir hom en vra hardop: Wat sien jy in daai stuk papier?

Net wat Boetie praat, kom jaag 'n man met 'n sambok die kinders weg met: Voertsek, julle vuilgoed!

Hulle hardloop weg, Kwela saam met hulle. Nou weet Boetie, Kwela is ook in dieselfde pot.

Hulle kry mekaar op die ander hoek van die plein. Hulle vat mekaar se hande, 'n nuwe soort handskud – eers word die hand geskud en dan word die duim gevat, met 'n lag wat daarmee saamgaan.

Die tweede dag in sy nuwe omgewing vorm Kwela die volle prentjie van sy verstote, vuil vriende. Hy leer gou dat daar nie iets soos mooi en lelik, skoon en vuil is nie. Dit is net die rykes – hulle wat alles het – en ons, ons, ons. Om 'n lewe op die dorp se strate te maak, is 'n kuns wat nie geleer word nie, dit word opgetel. Hulle dae is sonder naam of datum. Net goeie dae en slegte dae en Sondae. Dis al onderskeid.

Die lewe saam met die seuns draai alles om. Kwela leer: Liefde is nie liefde soos hy dit voel nie. Dit is meer 'n jammerte vir mekaar. Hy sien dit in die wenner met die dice. Dié gee altyd sy maat 'n ietsie terug voordat hy loop. En hemel is vir die klomp iets heeltemal anders. Hemel is vir hulle glue. Hulle gee die houer in die rondte tot die laaste druppel uitgedruk is. Ook bensien word deur 'n lap gesuig. Almal rook en daar is nie 'n tekort aan optelstompies nie.

Daar is ook nie eintlik verskil tussen groot of klein nie. Die kleinste is net so taai soos die grootste. Hulle deel alles wat dronk maak en aan die lewe hou. Hulle steel nie van mekaar nie en almal is gelukkig, dink Kwela. Almal is ewe sleg en ewe goed. Sonsak vat elkeen sy eie koers, hulle groet nie, wys net die duim en loop weg.

Die volgende dag sit Kwela weer op die sypaadjie in die dorp. Sy maats speel dice. Hy staan op en loop weg. In sy loop sê hy: Ek is moeg van werk vra by die mense wat se karre vol kos gepak is.

Here, bid hy, ek wil werk vir geld, ek wil nie optelgeld hê nie. Ek hoop ek kry werk. Toe kom Ma Emma se woorde by hom: Hoop word nie gekoop nie, kind, dit mors tyd om te hoop.

Kwela gaan loop Mafikeng-dorp deur. Namiddag loop hy teen Boetie vas. Boetie is skaam om alleen saam met so 'n skoon bra te loop. Hy haal 'n handvol kleingeld uit sy sak en gee dit vir Kwela sonder om dit te tel. Toe sien Boetie 'n witvrou wat aangestap kom en hardloop weg.

Die witvrou sê: Daar is hy – die vuilgoed!

Maar Boetie is lankal weg.

Kwela dink: Ek sal weer probeer voordat ek huis toe gaan. My ma is alleen. Hy begin haastig word. Ek gaan nou baas sê, dink hy. Meneer gee net seer kyke.

Daar is 'n kar besig om weg te trek. Kwela haal sy hoed af en sê: Baas, ek soek werk.

I've got a kaffir, hoor hy.

'n Ander kar neem sy plek. Voor die man kan uitklim, sê hy: Work, please, Sir.

Praat Afrikaans, sê die bruinman, en kom môre vroeg, Bloemstraat 60.

Bloemstraat 60 weerklink in Kwela se kop. Dankie, Baas, sê hy.

Nee, sê die man: Mister Jordan.

'n Mens wat nie geld gewoond is nie, moet eers geld leer ken. Op pad huis toe kry Kwela weer vir Boetie. Ek het werk gekry, sê hy trots. Dankie, Boetie – en hy gee die handvol kleingeld terug.

Boetie staan verbaas terwyl Kwela aanloop. Blerrie fool! skreeu hy en skud sy kop.

Kwela loop aan. Boetie sien hom in sy gedagte: Daai Kwela is 'n vinnige loper met daai skoongemaakte skoene wat hy dra. Hy is nie so swart soos ons nie, miskien is dit water wat so maak. Sy lippe en sy neus maak ons broers, sy oë is nie regop nie, en sy hare is geborsel. Hoekom weet ek nie.

HY BEGIN WERK

Kwela kom by die sinkkaia aan. Hy dink: Bloemstraat 60, Mister Jordan, werk, geld, lewe. Dit kan wag, my ma kom eerste.

Hy maak die deur oop. Hy sien die Borstolbottel lê leeg. Die stuk brood lê nog net so op die tafel. Net die suikerwater is gedrink.

Sy ma draai haar stadig om. Kind, sê sy sonder om haar oë oop te maak, eet die brood. Eet, my kind, jy groei nog.

Dankie, Ma, sê Kwela, maar ek kan nie.

Ma Emma staan op en gaan sit op die stoel. Tam trek sy haar kombers nouer om haar skouers. Hy gee sy ma 'n beker suikerwater. Sy breek 'n stuk brood af en gee vir hom die ander stuk brood.

Eet alles, my kind, sê sy, môre is nog 'n dag.

Hy vat sy ma se hande. Mmawe, sê hy, ek het werk gekry.

Kind, sê Emma, luister goed en mooi. Ek is bly dat jy werk gekry het. Werk sal daar altyd wees vir 'n loon om die lewe te verbeter. Probeer liewer om te veel werk vir die dag te doen, jou loon sal jy kry. Werk is edel, werk is liefde. Jou pa was nie 'n lui man nie.

Die volgende dag skrik hy wakker. Sy eerste gedagte is aan Bloemstraat 60. Hy spring op, vat 'n beker water na buite en gooi dit van hand tot hand. So was hy sy gesig en hande. Ma, sê hy voordat hy die deur toetrek, ek gaan werk toe.

Ma Emma draai haar op haar hurke. Modimo, bid sy, wees met hom, asseblief. Amen.

Hierso, skreeu Mister Jordan toe hy sien Kwela soek die onklaar huis se nommer.

Kwela kom aangehardloop. Hy haal sy hoed af. Môre, Ra, groet hy met 'n eerlike, verleë stem.

Petrus! roep Mister Jordan, hier is 'n boytjie. Miskien kan jy hom na jou hand leer om te werk.

Goed, broer Jordan, sê hy. Jou naam? vra hy vir Kwela.

Kwela. En hy haal sy hoed af.

Moet nie net daar staan en vergaan nie, gaan help dagha maak.

Kwela gryp 'n graaf en maak soos die ander maak.

Boet Norman, wat so maklik lag, lag en sê: Hou die graaf so, werk saam met die graaf, nie teen die graaf nie. Die dag is lank, jy kan nie sonder die graaf werk nie, en die graaf kan niks doen sonder jou nie.

As jy wil leun, leun jy so teen hom, wys Boet Norman. En na werk, was jy hom en gooi hom tussen sy maats. Sonder dank of 'n goodbye, spot hy.

Kwela neem 'n emmer dagha na Mister Petrus in die badkamer. Gooi hier op die dagha-bord, sê Mister Petrus, en werk dit so deur. Hou die teëls altyd nat, or else, or else.

Kwela verstaan nie, maar sê niks nie. O, so word die teëls gelê, sê hy vir homself.

Waar het jy gewerk, my boy?

Net tuinwerk, Mister Petrus. Kwela kyk vir hom en dink: Hy is amper my soort. Of eintlik is hy my soort. Miskien is 'n Mister tussen 'n Ra en 'n Baas. Onse hare is dieselfde, net, hy het dun lippe.

Moet nie daar staan en vrek nie, maak die dagha los.

Askies, Meneer, sê Kwela.

Luister mooi, my boy. 'n Meneer is 'n predikant, en ek is net 'n teëllêer. Hy kyk vir Kwela en sê: Dit is brekfis, tien minute breek, en hy stap uit. Die ambagsmanne sit en eet bymekaar en die boys – soos die ander genoem word – sit saam. Kwela stap verby hulle, gee 'n glimlag en loop die onklaar huis deur.

Inval! word dit geskreeu toe die etery verby is.

Kwela begin die dagha deurwerk.

Petrus sê: Vat my warmbottel, drink of gooi die koffie uit, en maak dit vol water. Maak gou.

Hy drink twee koppies warm koffie. Nou het hy darem iets in sy maag. Baie dankie, Mister Petrus, sê Kwela.

Die manne werk teen 'n pas.

Dit is eenuur, sê iemand. Alles is weer stil en die werksmense sit by hul plekke en eet. Nog voor inval geskreeu is, gaan Kwela en kry die dagha reg en maak die teëls teen die muur skoon.

Die miere sal in my kosblik klim. Haal die toebroodjie uit vir jou, sê Petrus toe hy die troffel in sy hand vat.

Kwela werk die hele middag sonder om op te hou.

Nog 'n halfuur om te gaan. Ek sal die dagha klaar werk, dan maak jy alles mooi skoon, sê Petrus teen die latigheid.

Kwela maak die badkamerteëls skoon en pak die skoongemaakte gereedskap weg.

Hier kom Mister Jordan met die geld, sê iemand.

O, dit is mos Vrydag, sê Boet Norman met sy laggie en gooi sy hoed in die lug.

Dié Norman, sê 'n ander bruinman, maak altyd die dag kort en gelukkig.

Die ambagsmanne kry hulle koeverte, dan die werksmanne. Almal loop weg, en Kwela staan en wag.

O ja, sê Mister Jordan, ek het vergeet van jou, en hy steek sy hand in sy sak en sê: Hier, vat so.

Dankie, Mister Jordan, sê Kwela en vat die tweerandnoot. Borstol, Borstol, sê hy. Die bottel lê leeg, het ek gesien. Borstol en brood. Ek sal bruinsuiker vat, dit is goedkoper.

Wie staan voor die OK toe hy daar aankom? Boetie.

Hallou, Boetie, groet Kwela met groot plesier. Ek werk.

Watse werk? sê Boetie en gee Kwela 'n kyk wat hy nie ken nie. Boetie stap weg en gooi sy stompie eenkant toe asof hy seer gekry het.

Ma, hier is my werkgeld en ek het dié gekoop, sê Kwela toe hy dit op die tafel sit. Hy vertel Ma Emma alles wat die dag gebeur het.

Twee rand is wat ek vir 'n week by die Robbertse en Smutse gekry het, sê sy. Kyk agter jou werk, wees eerlik en gehoorsaam, my kind. Moet nie laat 'n ander man meer werk as jy doen nle. Wees soos jou pa, jou pa was ook 'n Kwela.

So het dit aangegaan, aangegaan. Vyf dae 'n week – tien rand.

Petrus laat Kwela teëls lê, hy leer gou. Die ander manne sê: Hy dra sterk muti. Hy maak vir Mister Petrus so – en hulle maak hul oë toe met hul hande.

Die jaar slaan oor van winter tot winter en Kwela werk nog altyd in dieselfde span.

Ma Emma en haar seun is gelukkig.

Maar winter na winter het Ma Emma se bors kwaai geteister. Sonder slaap sien sy die dag breek in pyn, en weer in pyn sien sy die son sak. Geen medisyne verlos die brand in haar bors wat die hoes aanbring nie.

Kwela word 'n jong man en moeders se begeerte vir hul dogters. Hy is die leier van die kerkkoor en Ma Emma vertel almal van sy skool wat hy deur die posbriewe kry. Skool-teacher, Skool-teacher, word nou en dan gesê asof die woord 'n gewoonte is. Hy is ook die kaptein van Molopo-stat se sokkerspan. En Ma Emma dank die Here.

Sy werkgewer en die ambagsmanne is soos die werksmense sê: kerklike mense.

Boet Norman lag altyd en sê van die manne: Ek vertrou hulle nie, hulle noem mekaar broer en praat uit die Bybel. En wanneer hulle bly is, sê hulle: Praise the Lord. Hulle is ordentlike mense solank alles reg loop. Maar pas op as die duiwel sy kop uitsteek.

Dit word weer Krismis. Mister Jordan gee vir Kwela 'n ekstra koevert en wens hom Heppie Krismis. Om te bewys dat hy nie sommer so is nie, haal Petrus 'n vyftigsentstuk uit sy sak en gee dit vir Kwela met 'n hier-is-hy-my-kind.

Kwela haal sy hoed af, laat sy kop sak en sê: Dankie, Ra.

Vir twee weke sal die werk gesluit wees, soos die manne sê: Dis holiday.

Kwela sit die twee koeverte neer op die tafel voor sy ma. My geld, wys hy met sy vinger. En die Krismis vat my ma.

Ma Emma maak haar oë toe, neem haar seun se hande en sê: Dankie, Modimo, dis al wat ek sê.

Somer is die beste medisyne vir die bors, sê Ma Emma. Alles is weer in die ou kamer agtermekaar. Kwela se skoolkoeverte wat hy deur die pos kry, word saggies neergesit, asof dit goud is vir Ma Emma.

Kwela studeer, studeer en studeer. Ma Emma is tevrede. In haar oë is hy 'n prins. Nee, verander sy haar gedagte – 'n skool-teacher.

Nog 'n nuwe jaar kom, Kwela moet Maandag terug werk toe gaan. Die Sondag sing die kerkkoor met oorgawe en 'n vol hart. Na die kerkdiens stap ma en seun hand aan hand, asof hy nog steeds 'n klein kind is.

Dit maak ons een as ek sy hand houvas, dink Ma Emma.

DIE ONVERWAGS

Na ete sê Kwela: Ma, ek gaan stap 'n bietjie.

Dan gaan ek lê en rus, my kind.

Kwela keer terug, hy vind sy ma op haar rug lê, vas aan die slaap. Hy vat 'n skoolpamflet, gaan buitentoe en gaan sit teen die sinkmuur en lees.

Dis later amper donker en hy kan nie meer goed sien nie. Hy gaan binne en sien sy ma slaap nog. Slaap maar, my moeder, dink hy, neem sy slaapgoed, gooi dit oop en raak aan die slaap. Hy trek nie sy klere uit nie, met die gedagte: Môre begin die werk.

Hy skrik wakker die Maandagoggend en sien dit is al lig. Hy gaan buitentoe en was sy gesig. Voordat hy die deur toetrek, sien hy sy ma vas aan die slaap op haar rug lê. Darem snaaks, dink hy, maar miskien het sy die rus nodig.

Hy maak die deur saggies toe en loop werk toe. Naby wat hy nou sy bottelboom noem, dink hy: My ma lê nog altyd op haar rug. Hoe is dit dan? Hy draai om sonder om te dink en hardloop huis toe.

Hy maak die deur haastig maar saggies oop. Sy ma lê nog soos sy gisteraand aan die slaap geraak het, sien hy. Hy draai haar om op haar sy. Mmawe, sê hy. Hy skep 'n beker water en maak die handdoek nat. Hy vee sy moeder se gesig af. Ma, Ma, Mmawe! sê hy. Hy skud haar saggies, dan weer 'n bietjie harder. Nou skud hy sonder om te dink. Hy probeer een oog oopmaak – hy kan nie.

Kwela hardloop na sy moruti. Moruti, Moruti! roep hy uitasem. Kom! Kom! Hy neem sy moruti se hand en trek hom op. Kom asseblief, vra hy.

Die moruti weet nie vir wat hy so ontsteld is nie. Hy vra hom: Wat is verkeerd, Kwela?

Hy hoor net: Kom, maak gou! en hy hardloop saam met Kwela.

Die sinkdeur is nog oop. Die moruti dink in sy gedagte: Ek hoop wat dit ook al is, dat dit nie te laat is nie. Hy tel Ma Emma se hand op en vind dit styf. Daar is geen pols nie.

Hy skud sy kop en sê: Gaan roep die kerk se grootmoeders.

Kwela weet nie of dit waar is nie, hy glo dit nie, hy voel nie wakker nie. Hy gaan buitentoe agter die eenkamerhuis in, en sit sy kop teen die sinkmuur. Hy gaan op sy knieë en bid: Hy bid uit sy hart soos Ma Emma hom geleer het. Sy trane val, want alles wat hy ooit besit het, lê op die slaapvel beweegloos.

Modimo, Modimo, vra hy, vat my saam, ons is een, vat my saam.

Hy gaan weer binne. Mmawe, Mmawe, sê hy oor en oor. Hy staan op en hardloop 'n ent weg van sy huis en gaan sit op 'n klip. Hy sit en houvas sy kop, sy elmboë op sy knieë. So sit hy gedagteloos, hopeloos, en verlore. Die moruti kry hom daar en gaan met hom huis toe.

Ma Emma, Ma Emma, sê die moruti saggies in sy gebed.

Toe sien Kwela regtig sy ma is nie meer nie.

Die ambulans kom en ry sonder sy ma weg. Toe kom die lykwa. Dit is waar, sê Kwela vir homself.

Dit was die Maandag.

In die week neem Kwela al die geld in die geldsakkie vir sy ma se kis en die slagding. Sondag word die kerkdiens gebruik vir Ma Emma se begrafnis, met groot respek en waardering.

Een van ons kerk se eie moeders, het die moruti gesê, en daar is min wat haar plek kan inneem.

TERUG WERK TOE

Môre is werksdag – dis weer Maandag.

Kwela het nou sewe dae teen die sinkmuur gesit en slaap. Hy kan nie die kamer binnegaan nie.

Hy is vroeg by die werk. Die baas, Mister Jordan, en Petrus kom aangestap. Hy haal sy hoed af en groet, hy wil iets sê maar kry nie 'n kans nie. Altwee skreeu op hom: Waar was jy gewees, jou sleg, voertsek! en hulle jaag hom weg met hande wat waai asof hy 'n hond is wat gesteel het.

Hy gaan staan om die draai om seker te maak wat gebeur het, en sê vir homself: Is dié die mense wat so maklik Praise the Lord sing en mekaar broer, broer, broer? Ek wonder wie se broer is ek dan? En hy dink aan Boet Norman se woorde.

Boetie het my ook weggegooi, sê hy vir homself. Nou het hy seer op seer gekry.

Mmawe, by wie kan ek nou kla? sê hy hardop toe hy loop.

OPGESLUIT

Kwela is nou twee weke sonder werk. Hy eet amper nie en was net oor dit 'n gewoonte is. Hy word maerder en maerder, mense wat hom ken, skud hul koppe as hulle hom verbystap. Hy geniet nie meer die kerkdiens en die kerkkoor nie.

Toe kry hy 'n geleentheid saam met 'n man met 'n bakkie om werk te gaan soek in die Transvaal. In Lichtenburg parkeer die man die amper nuut Isuzu-bakkie voor 'n hotel en sê vir Kwela: Mosimane, ek kom nou. Ek gaan iemand soek om die bakkie aan te verkoop. Dan is ons ryk – ek gee jou tien rand, jy gaan verder en ek gaan terug Kimberley toe.

Hy lag, vryf sy hande en loop weg.

Kwela klim uit. Hy wag en wag langs die bakkie. Later trek hy sy baadjie uit en sit dit neer op die modderskerm waarteen hy leun.

'n Verkeersman kom en sê vir hom: Ek sien jou nommerplaat is geskeur, jy moet dit regmaak, anders kla ek jou aan.

Hy trek die bakkie se sleutel uit en sê: As jy uitklim, klim jy uit met die sleutel. Dè, vat.

Die verkeersman gaan staan voor die bakkie en sien die voornommerplaat is ook geskeur. Hy kyk weer en skud sy kop, buk af en sê: Dit is met 'n blikskêr gesny, ook die laaste twee nommers.

Hy roep 'n polisieman wat oorkant die pad by die vangwa staan. Hulle maak die enjin oop en kyk die nommer. Die polisieman gee die nommer oor sy dra-radio. Mettertyd kom die berig: Dit is gesteel in Kimberley.

Die man saam met wie Kwela gery het, kom aangestap met 'n koper. Hy sien die polisieman en die verkeersman by die bakkie staan, hy trap vas, draai om en verdwyn voor hulle hom sien.

Kwela is in besit van die bakkie se sleutel.

Hy is die dief, die kardief! sê die polisieman. Kwela word geboei en in die vangwa gestop en polisiekantoor toe geneem.

Die verkeersman ry die bakkie na die aanklagkantoor. Hy sien nie dat daar 'n baadjie van die modderskerm afval nie.

Kwela word aangekla vir die diefstal van die Isuzu-bakkie. Hy word gevra: Waar is jou dompas?

In my baadjie, antwoord Kwela.

Waar is jou dompas? word weer gevra, want Kwela staan daar sonder sy baadjie.

Kwela maak 'n fout, hy praat Engels.

In my jacket, Sir.

Sluit hom op, word geskreeu. En gee die Engelsman 'n paar warm klappe, sê die sersant.

Kwela verskyn in die hof. Hy word gevonnis: Twaalf maande vir kardiefstal. Dertig dae vir sonder sy pas.

Kwela kan dit nie glo nie.

In die tronk kry hy ander wat ook onskuldig is. Dompas-oortreders, wie se familie nie weet waar hulle is nie.

In die tronktuin is daar 'n jong bewaarder wat die tuin beheer. Dit is hy wat vir Kwela vertel van Umkhonto we Sizwe – die Liberation Army. Ons! het hy saggies met emosie gesê. Ons moet veg teen die onreg, wat die witmense apartheid noem. Hulle noem ons: boys. Ons kry net wat hulle weggooi.

Kwela verstaan, verstaan. Het hy dan nie genoeg seer in sy lewe gekry nie?

Kom sien my wanneer jy 'n vry man is, sê die bewaarder. Voor jy teruggaan na jou plek in Mafeking. Onthou, Bokstraat 7, en moet dit glad nie afskryf nie. By my huis se agterhek, en wag daar. En kom net die een keer, dit is belangrik, ek praat nie weer met jou nie. Gaan aan met jou werk en bly uit my pad.

DIE VRY MAN

Na dertien maande kom hulle bymekaar, by die Kentucky Fried Chicken in Mafikeng. Elkeen met 'n straw in sy hare, het die tronkbewaarder gesê, die dag toe Kwela by sy agterdeur in Lichtenburg was. Dit is die maklikste om op te tel in 'n dorp. Dit en niks anders sal jou bewys wees. Iemand sal in 'n geel Ford sit. Onthou, vyfuur sharp.

Kwela en die ander is vyfuur daar en die man in die geel Ford trek die strooitjie uit hulle hare toe hulle voor hom staan. Hy gee elkeen twintig rand en sê: Koop dit klaar met kos, drinkgoed of sigarette. Die pad is lank en gevaarlik. Onse spoorsnyer behoort nou hier te wees.

Hulle wag. Die man sê: Daar kom hy nou.

Kwela kyk en wie sal dit wees?

Boetie.

Boetie van OK se dae.

Dit is donker, die sandpad is lank en daar word nie gepraat nie. Hulle ken nog nie mekaar se name nie.

Daar word stilgehou by 'n kameeldoringboom. Daar! wys Boetie.

Good luck, en die Here is met jou, sê die man van die geel Ford, soos hy hulle met die hand groet. Die een na die ander. Elkeen dra twee plastieksakke sonder komberse.

Ons sal dagbreek daar aankom, moet nie agter mekaar loop nie, dit maak 'n paadjie, sê Boetie. Hy staan stil en luister: Maak gou, sê hy. Verbruik die paal en moet nie die draad aftrap nie.

Hulle is oor altwee die grensdrade.

Boetie kom agterna en vee die voetmerke skoon met sy baadjie, soos hy aankom tussen die twee grensdrade. Hy loop weer voor, kyk om en sê: Môre, as ek gelukkig is, ry ek die pad met die trein terug Mafikeng toe.

Hulle kom by 'n paar sitklippe. Boetie sê: Hier sit ons en eet, dan is dit regdeur. En hy neem 'n stuk hoendervleis.

Daar word nie gepraat nie, elkeen sit met sy eie gedagtes. Nie een van die nege weet wat voorlê nie.

OPGELEI

Jare van opleiding is verby. Eers in Botswana, toe na die noordelike state van Afrika. Daarna in Europa.

Kwela is veranderd in liggaam en siel. Hy is 'n freedom fighter – wat 'n eerlike woord. Dié wat nie beter weet nie, noem sy soort: terroris.

Kwela en die ander vryheidsvegters se teiken in hul geboorteland is apartheid.

Die vryheidsvegters se owerheid weet van Kwela se eenkamerhuis op Mafikeng wat nog altyd op sy naam staan, al staan hy leeg. Hy kry die opdrag: Gebruik jou Mafikeng-woonplek om AK-47's en wat saamgaan, te versprei en op te berg. Wees baie, baie versigtig. Jou kontak is die man wat in Mafikeng in beheer is. Hy sal jou bevele gee. Sorg dat jy dit uitvoer sonder om teë te praat. Respekteer hom want hy weet beter as jy.

Jou kontak is 'n man wat die strate van die dorp skoonhou met 'n handstootwa. Die F in die woord MAFIKENG is afgeskeur op sy oorpak.

Die wagwoord is: Nawa. Onthou dit goed. Aan die linkerhandvatsel van sy karretjie hang 'n bottel met strooitjies. As dit werklik jou kontakman is, sal hy 'n strooitjie in sy hare steek en dan sal hy sê: Toco.

Kwela maal die twee woorde om en om in sy kop: nawa – wat boontjies beteken. En toco – wat slypsteen beteken.

Na twee dae se rondloop, sien Kwela iemand wat hy herken. En die man stoot 'n handwaentjie met 'n bottel met strooitjies aan die handvatsel.

Kwela storm sommer op hom af – om te dink dat hulle mekaar weer ontmoet! Kwela wil die man omhels, maar hy word weggestamp.

Ek ken jou nie, sê hy, en Kwela kry 'n vuishou teen sy mond.

Toe onthou Kwela: Nawa!

Die man haal 'n strooitjie uit die amper leë bottel en steek dit in sy hare. Toco, sê hy sag en vee die bloed van Kwela se mond af. Hy vee sy hand aan sy oorpak af.

Bra Boetie! Bra Kwela! word in die omhelsing gesê.

Kom môreoggend, fluister Boetie en stoot sy handkar met die vuilgoed weg asof daar niks gebeur het nie.

Kwela loop weg en skud sy kop.

Om te dink sy kontak is al die tyd Boetie van OK se dae!

So het dit aangegaan, aangegaan. Kwela word goed betaal, alles loop maklik en in die geheim. Kwela bestuur sy eie kar, en sy geld word op sy naam oorgedra in 'n buitelandse bank.

Al gaan dit goed met Kwela, verdruk die eensaamheid hom. Gelukkig raak hy verlief op een van die kerkkoorsusters. Sy eerste liefde na sy ma se dood. Kwela tel weer die kerkkoor op, hulle sing met vreugde en Kwela is weer gelukkig. Hy stap nou Sondae hand aan hand kerk toe met sy nyatsi, Elsie.

Maar die mense praat, hulle sê hy kan haar nie trou nie. Haar man leef nog, en die mense ken daardie man se bui en vertrou hom nie.

Elsie was sewe jaar getroud. Toe neem haar man, Konstabel Pule, haar terug na haar suster se huis met die woorde: Sy het 'n sementpens en ek wil kinders hê.

Elsie was 'n weeskind en baie jonger as haar stiefsuster, wat vir haar nie die lewe makliker gemaak het nie. En nou was sy weer alleen en verlore. Gelukkig kry Elsie werk by 'n haarkapper en kan sy vir haarself sôre, al is die geld min.

Konstabel Pule het intussen 'n ander vrou gevat en sy het 'n kind gekry. Hy is tevrede en bly. Hy sê hy moes die sementpens lankal uit sy huis geskop het.

Maar nou begin sy vrou kerm: Die werk is te veel vir my in die huis. Kan jy nie daai meid terugvat nie? Ek sal agter onse kind kyk en sy kan die huis skoonmaak.

Konstabel Pule weet sy tweede vrou is van die lui soort vroumense maar sê niks nie.

Kwela vat Elsie bedags werk toe en gaan haal haar weer daar. Sy is sy nyatsi weet al die mense, en hulle is bly dat sy weg is van daardie Pule.

Wanneer Kwela vir Elsie huis toe neem, ry hy verby Konstabel Pule se huis.

Dan sê Pule se vrou: Daai Elsie kyk deur die kar se venster met 'n brêg op haar gesig.

Elsie sit in die kar met haar nuwe rooi doek, rok en baadjie to match – Kwela se presente, met groot oorbelle daarby. Hy kyk haar en dink: Mooi klere maak haar mooier en gelukkiger. Ek is seker Mmawe sal haar aangeneem het vir haar dogter.

Hulle sit alleen in die kar. Elsie moet uitklim, maar Elsie se trane rol oor haar wange. Boet Kwela, sê sy, Boet, jy weet seker waarom

Pule my terug na my mense geneem het? As jy nie weet nie, sal ek jou sê, want ek wil nie weer teruggejaag word as die man my klaar verbruik het nie.

Hy haal die rooi doek van haar kop af en vee haar wange skoon. Ek weet, my Elsie, sê hy en vee sy blink oë ook af. Hy vou die rooi doek op en sit dit in sy baadjie se binneste sak. Naby my hart, sê hy. Onse trane is nou een gemaak. Waarom straf die mensdom jou vir iets wat net die Here kan doen? Buitendien, my ma het gesê 'n kind kom nie van die vrou nie, maar word gegee aan die vrou. Ek gee my liefde en nie my begeerte nie.

Konstabel Pule dink aan Elsie: Sy is mooi en sy is nog my vrou. Ek gaan haar haal – twee vroumense is beter as een in die huis. Dan kan ek Elsie se geld ook in die huis sit. Maar hoe? dink hy. Ek gaan met Kwela praat. Hy haal vinnig asem, hy word jaloers: Ek haat daai man, sê hy.

Pule stap na Kwela se kamer, na hy 'n paar dae om en om die kamer gery het.

Kwela neem sy hand. Bra Pule, groet hy.

Bra Kwela, sê die konstabel, ek sien jou deur is oop, toe stap ek maar in.

Jy is altyd welkom, sê Kwela. Hy sit 'n bottel koeldrank en twee glase op die tafel.

Pule kyk rond, hy sien iets uitsteek agter die kas, en draai hom vinnig weg van wat hy gesien het.

Kwela let dit nie op nie.

Die konstabel se haat bou op. Wag, moet nie vir my gooi nie, keer hy. Met sy hand op sy maag wys hy die koeldrank is nie goed vir hom nie. Ek het net kom hallou sê.

Hy staan op en gooi weer sy oë na die ding wat uitsteek. Dit is net dit, dink hy. Die terroris! Nou het ek hom, die vroudief.

Ek kom weer, dan bly ek langer, sê Pule.

Ja, sê Kwela, dan praat ons van voetbal.

Hy neem Kwela se hand met: Ek is bly ek het jou kom sien.

Konstabel Pule neem sy fiets en ry dorp toe. Hy gaan rapporteer wat hy gesien het. Dit is net die punt van 'n geweer se loop, Kaptein, sê Pule.

Jy is 'n ware Suid-Afrikaner, sê Kaptein Ralf de Vries. Ons opdrag is: Roei die terorriste uit. Jou promosie wag vir jou, Konstabel. Ek sal jou vanaand sien as jy op nagdiens kom. Alles sal gereël wees. Al wat ek van jou verwag, is dat jy vir die manne die pad na daai huis toe wys.

Reg, Kaptein, kap hy sy hakke.

Dié aand kan Kwela nie aan die slaap raak nie. Hy hoor 'n bakkie. Dit is mos 'n Ford, dink hy. Die polisie het Ford-bakkies!

Hy spring van sy bed af. Die skaapvel het nou 'n voetvel geword. Hy gryp 'n AK-47 en 'n kleefmyn, gaan plak die myn buite aan die sykant van die sinkmuur en druk die deur se slot toe.

Hy hardloop en gaan val agter 'n ou karwrak neer. Hy wag. Dit is net wat ek verwag het, dink hy. Daai Pule het ek nooit vertrou nie.

Die bakkie het tot stilstand gekom. Vyf swart konstabels klim agter uit die bakkie en drie wittes voor. Almal het gewere. Die ligte word afgeskakel en hulle loop suutjies.

Konstabel Pule loop voor en gaan klop aan die deur.

Kan jy nie sien die slot is toegedruk nie? vra een van hulle.

Almal, agt van hulle, kom bondel saam. Kwela dink: Nou! Netnou is dit dalk te laat.

Hy korrel op die kleefmyn en trek die sneller.

Die ontploffing skud die stat wakker. Mense storm uit, die donker in. Die sinkkamer het verdwyn met die mense wat daar rondom gestaan het. Kwela se kar is aan die brand. Die AK-47-patrone wat in die vals tenk van die motor was, ontplof met vreeslike knalle.

Kwela kyk na die polisiebakkie en besluit om dit te waag. Hy hardloop soontoe om daarmee weg te ry. Die enigste polisieman wat net gewond is, tel sy geweer op en skiet. Die koeël tref vir Kwela agter die kop.

Hy struikel en val morsdood neer.

DIE DORP HOOR DIE ONTPLOFFING

Die hele dorp Mafikeng het die ontploffing gehoor. Nou lui die polisiekantoor se telefoon aanmekaar. Wat het gebeur? wil die mense weet. Of: Wat word weggesteek wat ons nie mag weet nie?

Wees geduldig, alles onder beheer, sê die bevelvoerder.

Die dagkonstabels word ook opgeroep. Toe hulle op die toneel kom, is hulle verstom. Sewe polisiemanne se liggame lê verstrooi – uitmekaar geruk deur die ontploffing. Net die gewonde man leef nog.

Hier lê die terroris, sê 'n konstabel.

Kaptein Ralf de Vries, wat ook op die toneel is, gryp die konstabel se geweer en skiet die magasyn leeg op die dooie liggaam. Die gesig is onherkenbaar en die liggaam is vasgeskiet in die grond.

Kaptein De Vries wil van die mense weet wat die man se naam is. Wie ken hom?

Al wat hy kry, is: Gakiets. Niemand weet nie, en dit bly so. Gakiets.

Kaptein De Vries raak mal-kwaad, hy dink aan die verminkte liggame.

Die dier sal nie 'n graf soos 'n mens kry nie! sê hy. Hy beveel: Drie lorrievragte sand moet oor die onmens getiep word. Maak 'n miershoop en laat die miere hom vreet. Hy is te laag vir wurms om te vreet. Man sonder naam!

De Vries skop 'n klip, en loop haastig weg na sy voertuig.

SKOOL-TEACHER NOU DIE HELD

Na die eerste reën het sy Elsie 'n graaf geneem en die groot hoop sand weer begin opwerk aan die kante. Toe die hoop mooi ronderig is, slaan sy die grond orals met die agterkant van die graaf vas. Toe is dit 'n ronde rooi sandhoop wat uitsteek in die vaal turf.

Die aand na Elsie die ronde grafhoop vasgeslaan het, daardie selfde aand word dit uitgesaai oor die radio: 'n Polisie-offisier se bakkie het ontplof op pad na sy kleinhoewe buite Mafikeng.

Die volgende môre staan daar op die voorblad van die plaaslike koerant: Kaptein Ralf de Vries, sy vrou en twee dogters dood in die ontploffing. Daar is nog geen leidrade nie.

Maar dit was goed bekend onder die OK-bedelaars dat 'n man wat die straat skoonmaak met 'n handkarretjie, vir Kaptein De Vries help dra het aan sy inkopies. En hom gehelp het om dit agterop die bakkie te laai.

Nou nog, na elke reën, gaan Elsie met 'n graaf en slaan die sand mooi gelyk. Dit het 'n gewoonte geword.

Maar nou is Elsie nie meer alleen nie, die mense help haar. Hulle sê nou: Dit is Kwela! – sonder vrees of om skaam te wees.

Die teacher in die hart van Ma Emma is nou Molopo-stat se held. In die paadjie verby die rooi hoop, loop selfs dié wat vinnig loop, weer stadig. Ander haal die hoed af en sê: Kwela – net hard genoeg om dit te hoor.

Dié wat uniform dra, salueer.

As die koor sing, is dit Kwela se koor.

Die Kwela-span speel op Kwela se voetbalveld, en in die telefoongids staan daar nou groot KWELA geskryf.

Nou speel die penniefluit 'n kwela-deuntjie.

Jongmense van orals, alle soorte, kom kuier in Kwela om die kwela te dans.

Die oumense sê: Kwela, onse Kwela, hy is nie dood nie.

So raak hulle almal aan die slaap,
tot iemand soos u, liewe Leser,
weer vir hulle langsaan die vuur
wakker maak.

C000230090

101 THINGS TO DO WHEN YOU CAN'T GET TO SLEEP

DUSTY SANDMAN

Published in the UK in 2018 by Short Books
Unit 316, ScreenWorks,
22 Highbury Grove, London N5 2ER

10 9 8 7 6 5 4 3 2

A CIP catalogue record for this book is available
from the British Library.

ISBN 978-1-78072-357-0

Printed and bound in Great Britain by
CPI Group (UK) Ltd, Croydon, CR0 4YY

Layouts by Two Associates
Select page layouts by Short Books

Cover design by Paul Bougourd
Series cover concept created by Two Associates

Introduction

What with looming deadlines, boozy evenings, snoring bed companions and the never-ending supply of bad news stories, no wonder so many of us have trouble getting to sleep... Worry not, help is at hand.

The imaginative activities in this book will give you the perfect dose of joyful distraction to help you relax and get some proper shut-eye – or at least have some fun along the way.

1.

Have a pillow fight.

2.

Put on some cosy socks.

3.

Work your way through this maze.

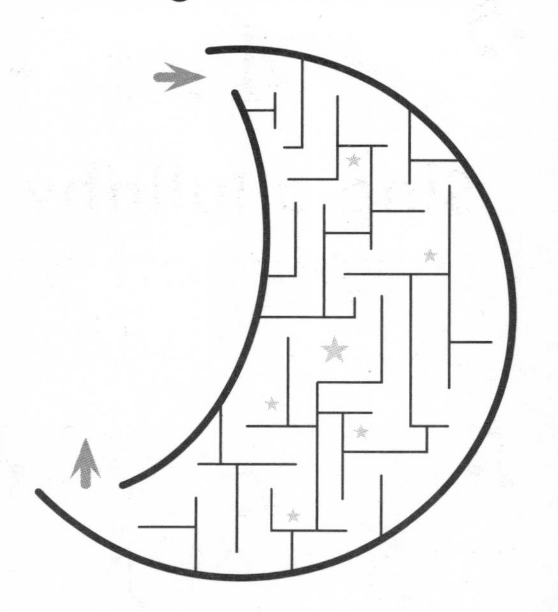

4.

Sing a lullaby to yourself or hum a tune.

5.

Write down three things that made you happy today.

1 ....

....

....

2 ....

....

....

3 ....

....

....

6.

Eat some sleep-inducing foods, such as cherries or a banana.

7.

Think up as many TV quiz show concepts as you can.

Don't worry about the details — just the titles and the basic concept, no matter how ridiculous

DANCING WITH DUCKS

TIPPING POINT

THE MEEKEST WINK

THE GREAT AMISH BAKE OFF

ARE YOU SMARTER THAN A 101 YEAR OLD?

8.

Write a message to someone that you would like to send but know you can't.

9.

Download a self-hypnosis podcast.

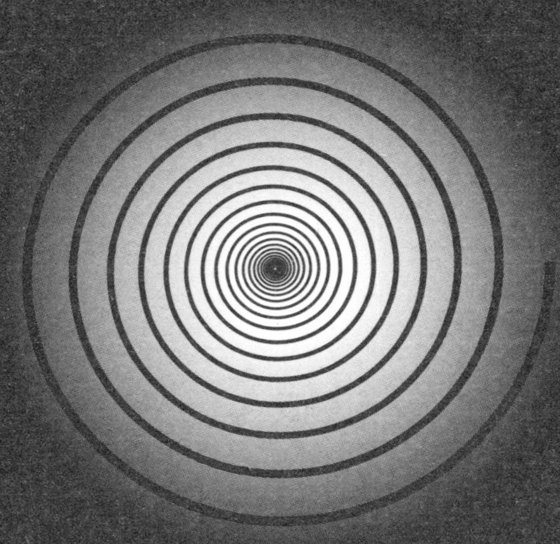

10.

Go to the toilet

11.

Count the sheep on this page.

12.
And now count down from that number.

13.

Ask about your partner's day.

...... really?

mmm hmmm ......
I agree

...... oh no he didn't
...... mmm hmmm

...... you
don't need
to put up
with that

.... go on ......

mmm hmmm ....

yes, I'm awake
....

14.

Make a phone bed.

(and leave it downstairs.)

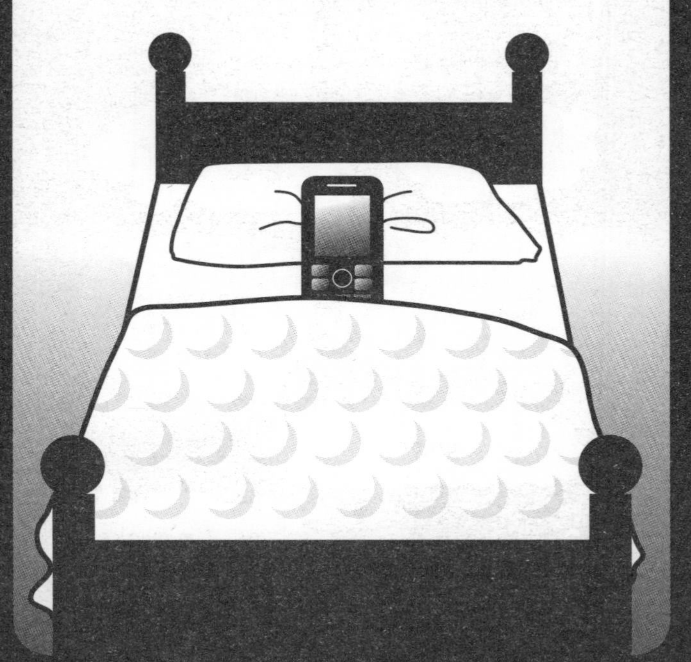

15.

Colour code your wardrobe.

16.

Take this psychometric test.

The venn diagram shows results of a survey asking what essential items people take with them to bed.

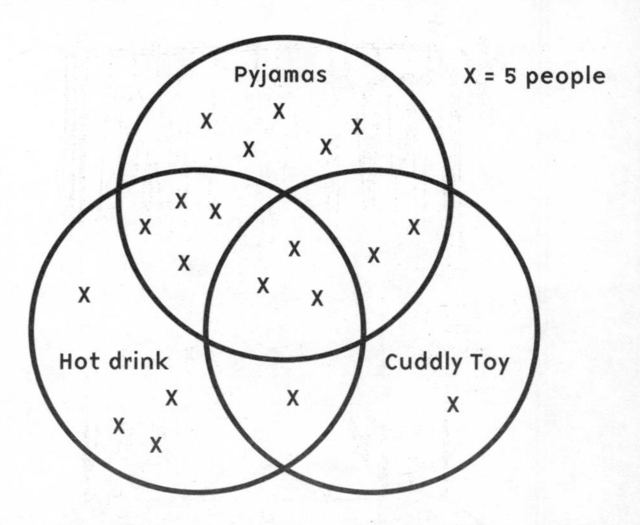

Q1. How many people need a hug in bed?

Q2. How many prefer their hug in a mug?

Q3. How many like to sleep naked?

17.

Predict your future with a tarot reading.

18.

Make a list.

1

2

3

4

5

6

7

8

9

10

19.

Tune in to a random radio station.

20.

Think positive.

Fearing that you won't sleep is a habit like any other.

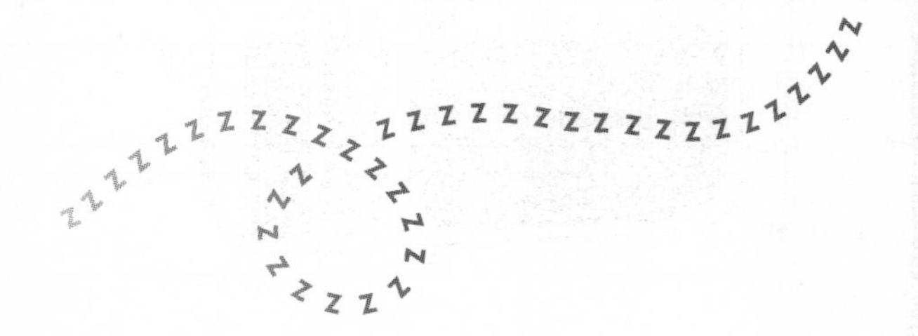

21.

Balance your monthly finances.

Getting to grips with your cash flow can be a pathway to mindfulness and calm.

MONTHLY

INCOME	
EXPENSES	
SPENDING MONEY (INCOME - EXPENSES)	
SAVINGS	

MONTHLY EXPENSES	
MORTGAGE/RENT	
UTILITIES	
TAX	
INSURANCE	
DAILY SPENDING	
GENERAL	
HOME/GARDEN	
CLOTHING	
TRANSPORT	
LEISURE	
TOTAL	

22.

Take some time to consider life's big questions.

★ If you owned a pub, what would you name it?

....

....

....

★ If you owned a boat, what would you christen it?

....

....

....

★ If you ran a lunar space programme,
what would you call it?

....

....

....

23.

Compile a sleepy playlist — what tunes help you drift off?

1 ....

2 ....

3 ....

4 ....

5 ....

6 ....

7 ....

8 ....

24.

Get a white noise generator.

25.

Practise this meditation exercise:

Lie down in bed, close your eyes
and listen to your breathing.

Picture a nearby object in the room
and focus your attention on it.

Mark out the shape of the object,
its size, where it is placed.

Whenever you notice your thoughts
have drifted, bring them back
to the object.

Let your emotions flow by,
without chasing them or
trying to understand them.

26.

Watch a scary movie.

27.

Hug a teddy.

28.

Start a sleep diary.

THU

FRI

SAT

SUN

29.

Go for a midnight jog.

30.

Take a bath.

A 20-minute soak raises your temperature, and the fast drop in body heat afterwards helps you relax.

31.

Try and work out which of these are sleep facts and which are sleep myths.

1. Eating cheese gives you nightmares.
2. As you get older you need fewer hours sleep.
3. The best time to exercise is late afternoon.
4. A glass of hot milk before bed helps you sleep.
5. You'll sleep better after drinking alcohol.
6. A sleep cycle lasts approximately 90 minutes.

Answers: ① Myth, ② Myth, ③ Fact, ④ Fact, ⑤ Myth, ⑥ Fact

32.

Embark upon an epic-length novel.

(You'll either send yourself to sleep or soon be able to impress everyone with what you've achieved.)

ULYSSES

INFINITE JEST

WAR AND PEACE

33.

Wrap yourself up into a ball and rock.

This stretches your back and helps your muscles relax.

Ideal position for hiding under the covers.

34.

Whip up a sleep-inducing salad.

Try including these ingredients:

AVOCADO AND FETA
Good fats that will keep you satiated through the night

POMEGRANATE SEEDS
Contain B vitamins believed to aid sleep

GOJI BERRIES
The ultimate source of melatonin, the sleep hormone

QUINOA
A good carb, high in protein and magnesium

35.

Work through your thoughts about the day before going to bed.

36.

Test whether you have the Force by trying to move objects with your mind.

37.

Turn over your pillow.

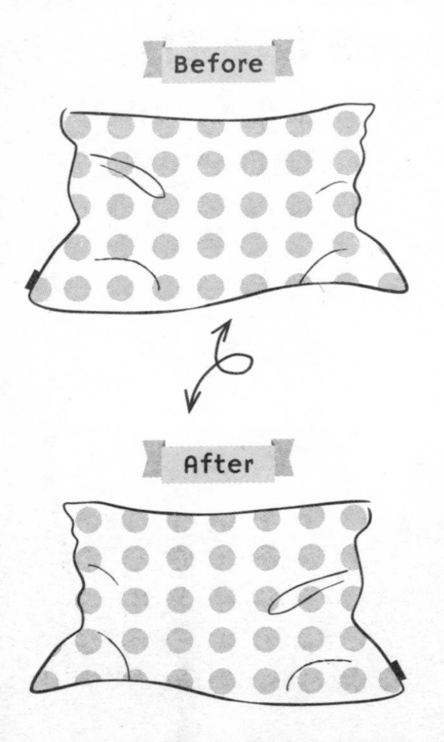

38.

Install a dimmer switch.

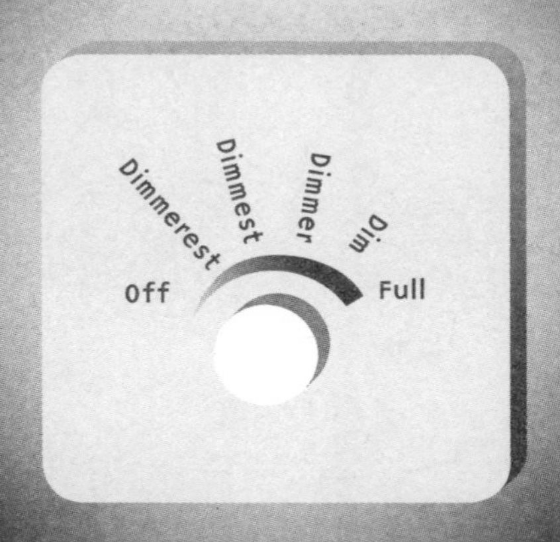

39.

Pick a Hollywood blockbuster and spot as many bloopers as you can.

Couldn't they just train astronauts to drill, rather than train deep-sea drillers as astronauts?

Is that a white van behind the charging English army?

Weren't those bullet holes in the wall before the guy started shooting at Jules and Vincent?

I'm pretty sure the Gibson ES-345 electric guitar wasn't released until 1958.

40.

Give yourself a head massage.

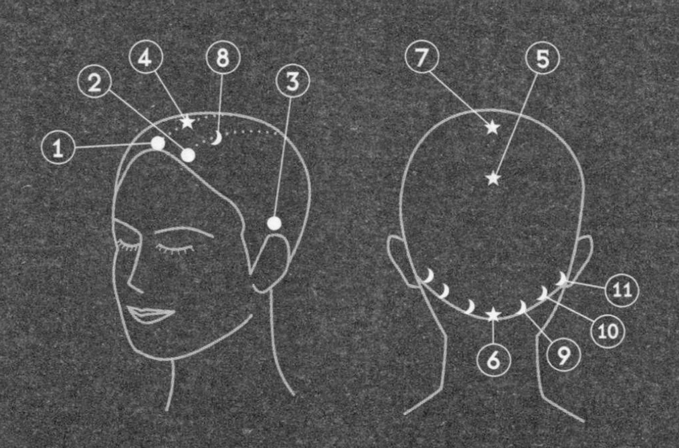

● Relaxation 1, 2, 3

★ Revitalising Hair 4, 5, 6, 7

☽ Reducing Fatigue 8, 9, 10, 11

41.

Create a shadow-puppet cinema.

42.

Get drunk

hic hic

43.

Write an acceptance speech for you inevitable Oscar / Booker / Nobel Prize win.

I would like to thank…

44.

Unwind for sleep with this yoga pose: Viparita Karani.

Sit side-on to the wall, right leg against it. Lift your legs up the wall and gently lower your shoulders and head to the ground. Your bottom needn't be against the wall, and should be positioned further away from it until you are more accustomed to the pose. Place your arms to your sides and hold the position for 5 minutes.

Benefits:

- A restorative pose that calms the body and mind.
- So simple you can do this manoeuvre in the dark.

45.

Been awake for more than 15 minutes?

Leave the bedroom and do something else relaxing like reading a book, listening to mellow music or knitting.

46.

Run down the street pretending you are an aeroplane.

47.

Verbal reasoning quiz.

Pick the odd one out in each of the below lists.

1. Bedsheets, Pillow, Pyjamas, Duvet

   Odd one out: ____________________

2. Double, King, Single, Bunk

   Odd one out: ____________________

3. Nightmare, Dream, Hope, Vision

Odd one out: ____________________

4. REM, Nap, Doze, 40 winks

Odd one out: ____________________

5. Tooth Fairy, Santa, Taxman, Sandman

Odd one out: ____________________

48.

Try this visualisation exercise.

Close your eyes and imagine you are walking around a house you remember fondly from your past, such as your childhood home.

Notice the items you can see as you enter each room.

Picture the colour of the walls, the carpet, the plants.

Where is the light entering the building?

What smells are there in each room?

Really try to summon the sounds you can hear — rain against the window, or children playing in the garden.

Feel the air against your skin — is there a breeze through the house, or is the air still?

Continue around the entire house, imagining the experience through all of your senses.

The familiar, safe place will help you feel relaxed.

49.

Order a bunch of flowers online for somebody.

50.

Watch the street outside and see which animals go by.

51.

Cut out the page opposite and fold it to make an origami boat.

How to make a paper boat step-by-step.

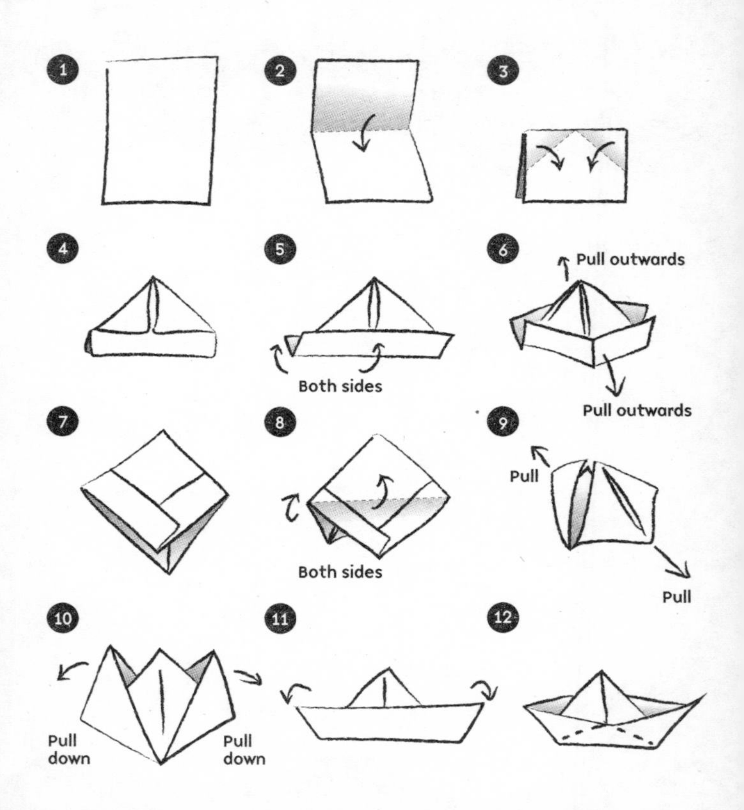

Write your own bedtime story.

53.

Read that bedtime story.

54.

Sleepy symbol sudoku.

The same rules apply, except you must use the nine symbols rather than numbers 1-9 to make it that bit more fiendish.

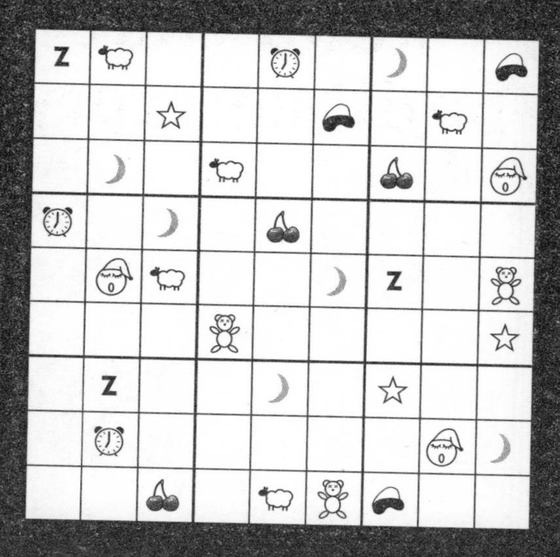

55.

Build a fort in your bed.

56.

Tidy your room.

57.

Make a list of new things you can try over the next week.

1

2

3

4

5

6

7

8

58.

Enjoy this ode to sleep:

Come Sleep; O Sleep! the certain knot of peace,
The baiting-place of wit, the balm of woe,
The poor man's wealth, the prisoner's release,
Th' indifferent judge between the high and low;
With shield of proof shield me from out the prease
Of those fierce darts Despair at me doth throw:
O make in me those civil wars to cease;
I will good tribute pay, if thou do so.
Take thou of me smooth pillows, sweetest bed,
A chamber deaf to noise and blind of light,
A rosy garland and a weary head;
And if these things, as being thine by right,
Move not thy heavy grace, thou shalt in me,
Livelier than elsewhere, Stella's image see.

Sir Philip Sidney

59.

Plan a day trip to the seaside.

60.

List three things you like about yourself.

1 ....

....

2 ....

....

3 ....

....

Are these the same characteristics that you like in your best friends?

61.

Practise your rock-star stance.

62.

Knit your own hot water bottle cover.

63.

Watch children's programmes on catch up.

64.

Cook your dinners for the week to come.

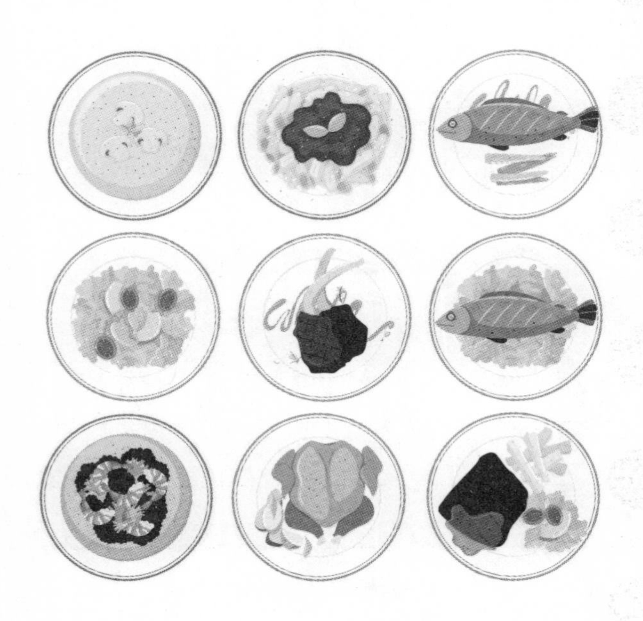

MENU

MON

TUE

WED

THU

FRI

SAT

SUN

65.

Go outside,
lie on the grass
and look at
the stars.

(or the clouds.)

66.

Unwind by colouring in these pillows.

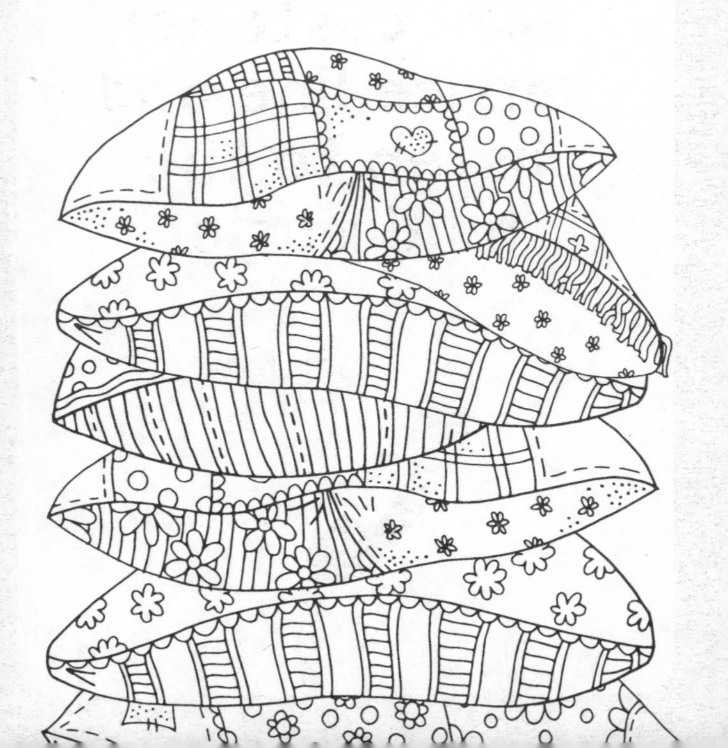

67.

Call a freephone 24hr customer service line and listen to the hold music.

68.

Go to an all night petrol station shop and get the attendant to find you the Tic Tacs.

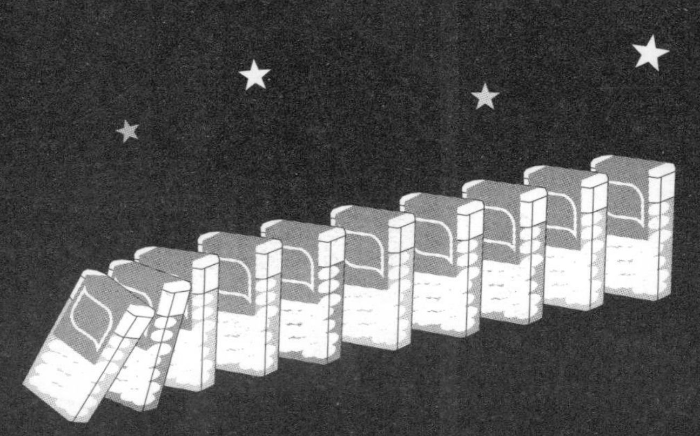

69.

When no creature is stirring (not even a mouse)... do the

vacuuming!

70.

Find the sheep game.

71.

Check all the references in TS Eliot's *The Waste Land*.

ck-down blows fresh to the fight against her, wea
it; an active old wom[illegible]n, [illegible]ith a bright dark
esolute face, yet quite a tender [illegible]
cally-reasoning woman. [illegible]
count in Heave[illegible]
when [illegible] [illegible]ilvey had
[illegible] got Sloppy to r
[illegible] But she's an affable lady.'
tors glanced at the long boy, who seemed to indi
a broader stare of his mouth and eyes that in
ppy stood confessed. 'For I ain't, you must kn
Betty, 'much of a hand at reading writing-ha
ugh I can read my Bible and most print. And I
a newspaper. You mightn't think it, but Slopp
eautiful reader of a newspaper. He do the Polic
erent voices.' The visitors again considered it a p
politeness to look at Sloppy, who, looking at th
denly threw back his head, extended his mo

72.

Start learning how to play the drums.

73.

Maximise your productivity

by planning your day like Benjamin Franklin would.

BENJAMIN FRANKLIN'S DAILY SCHEME

MORNING

The Question.	What good shall I do this day?
5am—8am	Rise, wash and address *Powerful Goodness*! Contrive day's business, and take the resolution of the day; prosecute the present study; and breakfast.
8am—12pm	Work
12pm—2pm	Read, look over my accounts, and dine.

AFTERNOON

2pm—6pm	Work

EVENING

The Question.	What good have I done to-day?
6pm—10pm	Put things in their places. Supper. Music or diversion, or conversation. Examination of the day.

NIGHT

10pm—5am	Sleep

	TIME	YOUR PLAN
MORNING What good shall I do this day?	5 am	
	6	
	7	
	8	
	9	
	10	
	11	
NOON	12 pm	
	1	
AFTERNOON	2	
	3	
	4	
	5	
EVENING What good have I done today?	6	
	7	
	8	
	9	
NIGHT	10	
	11	
	12 am	
	1	
	2	
	3	
	4	

74.

Learn how to solve a Rubik's Cube.

Remember, any 3x3 Cube can be solved in a maximum of 20 steps.

75.

Take apart a Rubik's Cube.

(This will be easy after you've thrown it against the wall in frustration.)

76.

Go to a playground and have a go on the swings.

77.

Investigate that strange noise your house makes in the night.

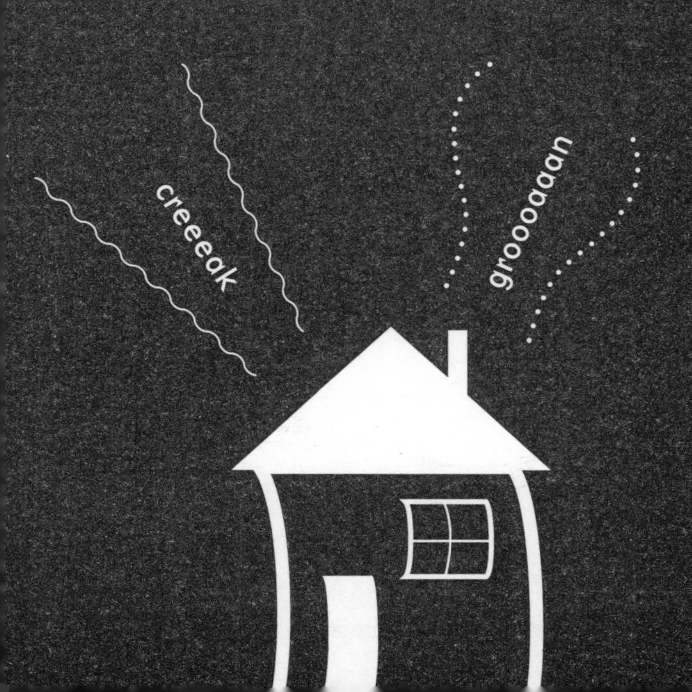

78.

Learn to play "Twinkle, Twinkle, Little Star" on the piano.

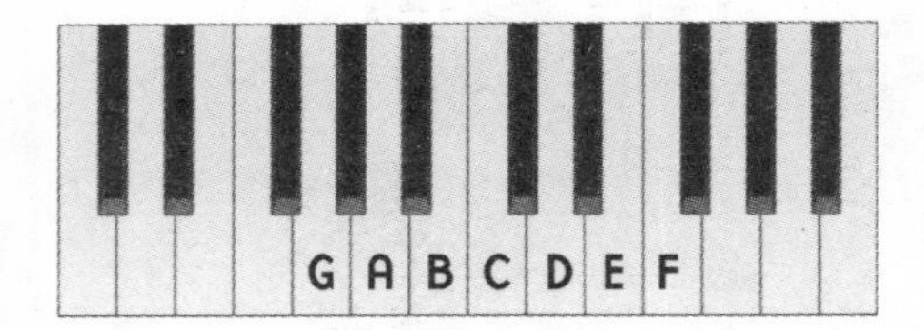

G G D D E E D
Twin - kle, twin - kle, litt - le star

C C B B A A G
How I wond - er, what you are

D D C C B B A
Up a - bove the world so high

D D C C B B A
Like a dia - mond in the sky

G G D D E E D
Twin - kle, twin - kle, litt - le star

C C B B A A G
How I wond - er, what you are

79.

Say a meditative prayer.

Whether you are religious or not, some time going through your hopes and fears can be cathartic.

80.

Customise an item of your clothing.

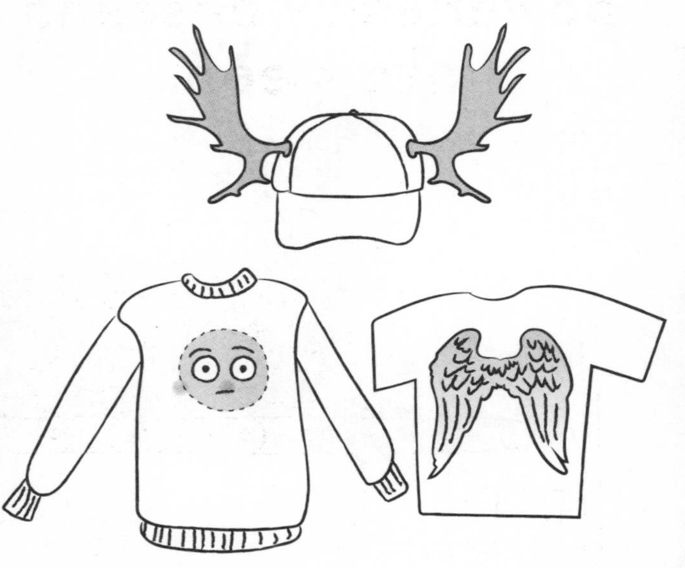

81.

Eat yourself silly with carbs and then powerlessly descend into sleep.

82.

Relieve tension with this progressive muscle relaxation technique.

Work through each of these actions, tensing for five seconds and relaxing for 20.

Hand: Clench your fist
Upper arm: Bend arm in bicep curl
Repeat with other arm

Forehead: Raise eyebrows
Eyes and cheeks: Squeeze your eyes shut
Mouth and jaw: Open mouth wide

Neck and shoulders: Lift shoulders
up towards ears
Chest: Breathe in and pull shoulders back
Stomach: Tighten abdominal muscles
Buttocks: Pull together and tighten

Lower leg: Lift toes up, stretching calf
Foot: Curl your toes
Repeat with other foot

83.

Practise your times table.

	1	2	3	4	5	6
1	1	2	3		5	6
2		4	6			12
3	3		9	12		18
4	4	8			20	
5		10		20	25	30
6	6	12	18	24		
7	7		21		35	
8	8	16		32	40	
9	9	18	27		45	54
10	10		30			
11		22		44	55	
12	12		36			72

	8		10		
		18		22	24
21			30		36
	32	36			
35	40		50	55	
	48			66	72
49			70		84
56	64	72		88	
	72		90	99	
70		90	100		
	88		110		132
84				132	

84.

Get crafty!

Make a lavender bag to keep at your bedside.

85.

Go ghost hunting.

You'll need: a torch, some audio recording equipment and, preferably, a fearless companion.

86.

Put on an eye mask.

87.

Re-enact your favourite movie scene using teddy bears.

88.

Sort through boxes in the loft or under the stairs.

89.

Talk to yourself.

90.

Pick an historical figure and research their life.

- Born on 23rd April 1564 (probably).
- Had seven siblings.
- Married at 18 to Anne Hathaway.
- Had three children.
- Wrote 37 plays.
- Acted as well as wrote.
- Died on his 52nd birthday (probably).
- Wrote a curse for his tombstone.

91.

Find a spot outside an all-night bar or club and watch drunken people fall over.

92.

Start training for an exercise challenge.

How about:

4 or 5, occasionally
showers. Moderate or go
lly poor. Southeast Icelan
o severe gale 9. Heavy sp
ood, becoming poor in show
icing. Rockall, Malin, Hebrid
st gale 8 to storm 10, veeri
severe gale 9 to violent st
n, then squally showers.
ming moderate. Tyne, Dogg
east 3 or 4. Occasional
Moderate or poor

93.

Embrace the wee small hours by listening to the shipping forecast.

94.

Sit down for the latest episode of Scandinoir thriller, *Sleepen*.

IN A SMALL DANISH TOWN, AGNES HANSEN MUST FIND THE SINISTER VILLAIN WHO HAS RELEASED A HERD OF SHEEP TO SEND HIS VICTIMS TO SLEEP BEFORE MURDERING THEM.

95.

Put your phone onto yellow screen.

96.

Do this breathing relaxation exercise:

Lying on your back in bed, place one hand on your chest and the other just above your stomach. When you breathe in and out, your lower hand should move and your upper hand remain still. Breathe through your nose, in for three seconds and out for four. If comfortable, you can pause for a second at the end of an exhalation. Allow the pace of breathing to adjust to whatever feels good for you.

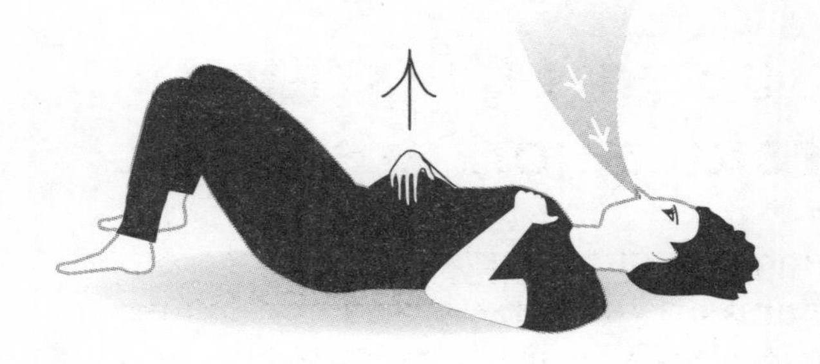

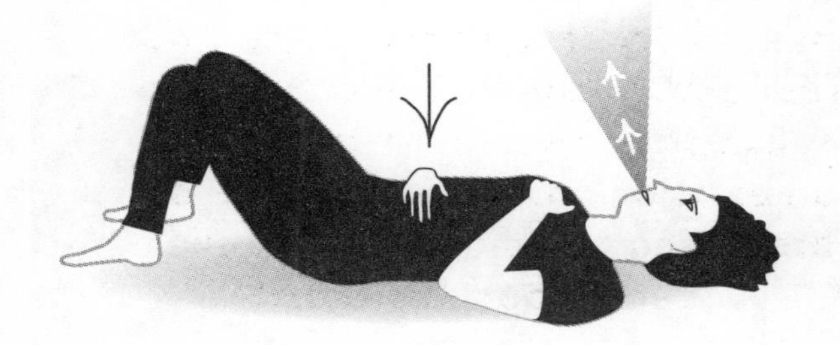

97.

Treat yourself to a hot toddy.

Mix 25ml of whisky in a mug with 1–2 teaspoons of honey and top up with boiling water.

Squeeze in lemon juice to taste and drop in a slice of lemon or a stick of cinnamon.

98.

Keep this page at your bedside to write down any worries that come to you during the night — and forget about them until morning.

99.

Shower your legs with cold water.

This will reduce your body temperature and help you fall asleep.

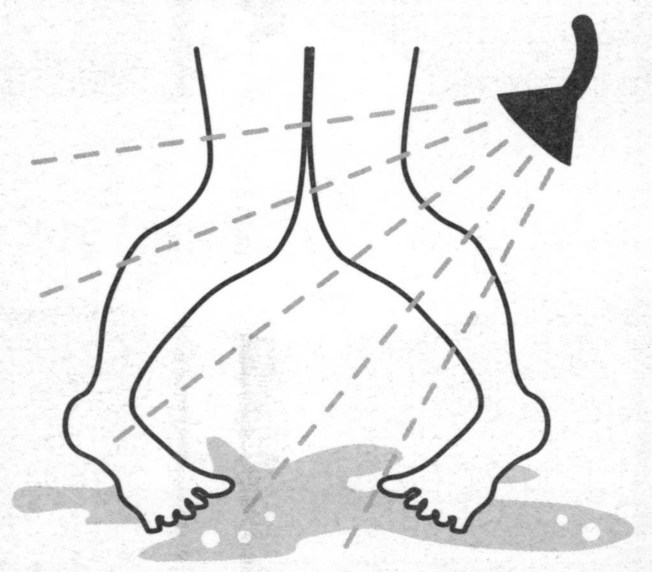

100.

Decide what you would eat for your final meal?

Would you choose a fancy lobster thermidor, the home comforts of mum's roast dinner, or perhaps just opt for a fish finger sandwich?

101.

Have a onesie party.